内藤正典

分断を乗り越えるためのイスラム入門

GS
幻冬舎新書
698

はじめに
――世界宗教となったイスラム

この本は、ムスリム（イスラム教徒）ではない一人の日本人の目から見たムスリム像とイスラム世界の動向を書いています。

イスラムに関する本というのは、イスラムはこんなに危ない宗教だという敵対的なものか、信者側からの護教論的なものが、ほとんどを占めます。私の視点には、イスラムについて西欧世界が抱いてきたような反感や偏見はありません。かといって、現在、世界に存在するムスリムの社会や国家を称賛しようという意図もありません。否定か肯定かという分断された視点からは見えないムスリムの姿、イスラム世界の姿を一度書き留めておこうというのが、本書を書いた目的です。

最初に、世界地図をごらんください。イスラムという宗教を信じる人のことをムスリムと言います。イスラム教徒のことです。

ムスリムの人口は世界の人口の四分の一に達すると言われています。近いうちに世界の三人

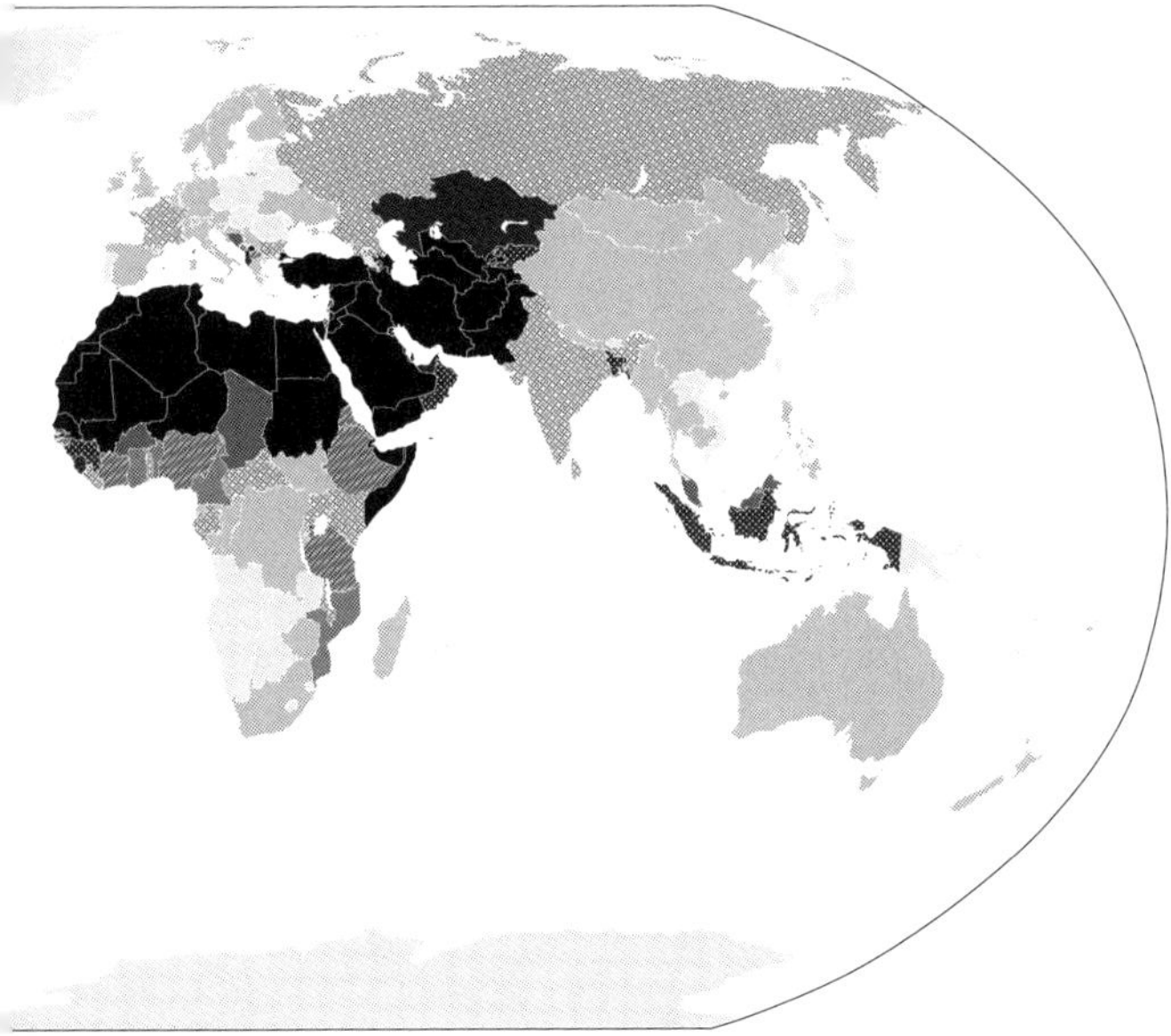

に一人はムスリムになるでしょう。医療の進歩で長生きする人が増えるだけでなく、子どもの数も増えているからです。欧米や日本のように急速に少子化することはムスリムの場合、なさそうです。その理由も本書の中で考えていきます。

彼らはどこで暮らしているか、ざっとイメージをつかんでおきましょう。

イスラムと言うと中東を思いうかべる人が多いのですが、この中東という地域の呼び方は実に曲者です。日本から見ればわかりますが「中」でも「東」でもありません。イギリスやフランスなどが、19世紀から20世紀にかけて支配しようとしたオスマン帝国の

世界各国のムスリム人口の割合
（2014年推計）

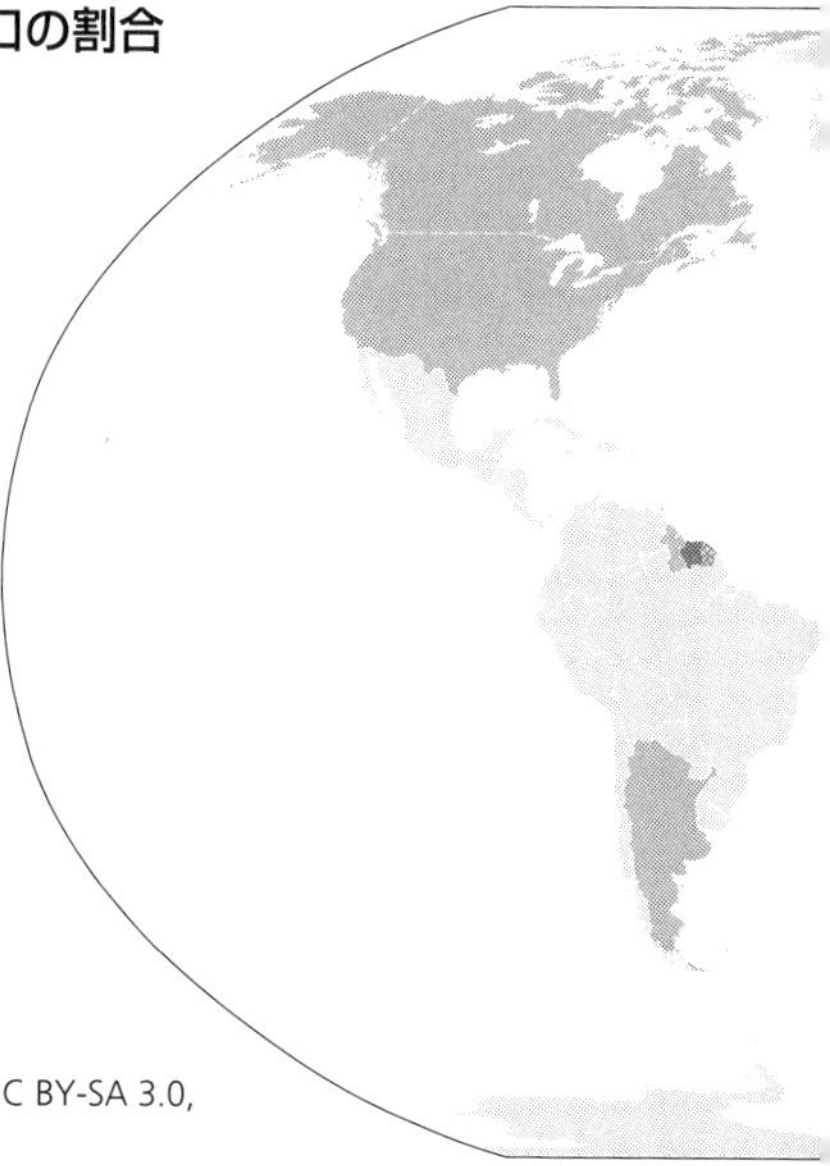

人口に占める
ムスリムの割合（%）

- 90-100
- 80-90
- 65-80
- 50-65
- 30-50
- 15-30
- 7-15
- 1-7
- 0-1

データ：ピュー・リサーチ・センター
「国別宗教構成（2012年12月）」

領域とほぼ重なり、大雑把に言えば、西アジアと北アフリカにまたがるあたりを指しています。つまり、この地域を植民地として支配しようとしたイギリスやフランスから見て「中東」と呼ばれたのです。

もっとも、イランはオスマン帝国領ではありませんが、中東に入れます。アフリカ大陸の方は、エジプトからモロッコあたりまで、一応、中東のなかに入れます。ただ、チュニジア、アルジェリア、モロッコあたりになると、中東とは呼ばず、マグリブということもあります。

ムスリムが住んでいるのは中東だけではありません。イスラム生誕の地、アラビア半島のメッカから西に目を向ければ、アフリカ大陸が広がっています。その北部はムスリムが圧倒的に多い地域ですが、西アフリカや東アフリカにも広くムスリムは暮らしています。

アジアに目を向けると、南アジア、東南アジア、中央アジア、そして中国西域もそうです。一つの国の信徒の数ということになると、インドネシアが世界で最も多くのムスリムを擁していると言われます。

加えて、ここ半世紀以上のあいだに、ヨーロッパ、北アメリカ、さらにはオーストラリアまで、ムスリムの生活の場は広がりました。ムスリムが労働移民として渡ったからです。こうして、イスラムは、地理的にも世界宗教となっています。

イスラム世界の主役は、国王でも、大統領でも、イスラム指導者でもありません。ムスリムの民衆です。私たちは、国家のリーダーや国家の同盟が政治を決めていると思いがちです。しかし、ムスリムの社会では、国家の方向を大きく左右するのは、イスラムの信仰に生きる民衆なのです。面白いことに、これは、独裁的な大統領がいる国でも、国王と王族がすべてを支配している国でも、選挙によってリーダーを選んでいる民主的な国でも、変わりません。

外交関係でも、世界でムスリムへの迫害が強まれば、ムスリムの怒りの声が広がります。イスラム諸国の政府も、その声を代弁する外交を展開します。そうしないと「何をやっているんだ！」という怒りが民衆から政府に向けられるからです。コロナ禍や大地震のような大きな災厄に見舞われると、救済のために動き、喧嘩をやめて和解の方向に舵を切ります。

国家を単位として見るとさほど強い力をもっていませんが、超国家的で緩やかな集合体としてのムスリムは、国家が右を向けと言っても左を向くかもしれません。そのため、イスラム圏の国家というのは、独裁国家だろうと民主国家だろうと、ムスリム民衆の意向がどこにあるかを見ながら、内政と外交を動かさなければならないのです。それができれば、国家を超えた力を発揮し、できないと、国は混乱して弱体化することになります。

中東のアラブ諸国は、過去10年以上の民主化運動で厳しい分断と対立を経験しました。それが今、ふたたび和解の方向に舵を切り、強い指導者のもとで強い国家をつくることを望んでいます。それを見て、「民主化はどこへいった？」とか「やはりムスリム社会では自由や民主主義が未熟だ」と批判する声が多く聞かれます。

しかし、ムスリムは、民主主義や自由主義というような「〇〇主義」よりも生活を第一に考えます。そして、その生活のすべてにわたって、イスラムは、

・しなさい
・した方がいい
・どちらでもいい

・しない方がいい
・絶対にしてはいけない

という規範を与えています。

そんなことを言っても、今から１４００年も前に誕生したイスラムが、現代世界の事象に、いちいち規範を示すことなどできるはずがないだろう、と多くの人は考えます。私もそう思っていました。しかし、この数年、ムスリムのものの考え方に驚かされることが起きました。

ウクライナ戦争が始まる前まで、世界の不安を掻き立てていたのは、イスラム過激派のテロでした。欧米諸国にとって最大の脅威は「イスラム」だったと言ってもよいでしょう。今でも、地域によっては激しい戦闘が続いています。アフガニスタン、アフリカのソマリアや西アフリカの急進的で暴力的なイスラム組織は残っていますし、テロ事件も起きていますが、欧米諸国を震撼させるような大規模なテロは減りました。暴力の原因となっていた問題は何一つ解決していませんが、イスラム世界は静かになったのです。

さらに、もう少し時計の針を前に戻します。２０２０年の春から、世界は新型コロナのパンデミックに見舞われました。イスラム過激派の問題は、それとともに、すーっと消えてしまったのです。ここから話を始めましょう。

分断を乗り越えるためのイスラム入門／目次

DTP 美創

第1章
イスラムはパンデミックに強い

預言者ムハンマドは新型コロナにも道を示していた

新型コロナのパンデミックは文字通り世界を覆いつくしました。イスラム世界も、もちろん例外ではありませんでした。この3年を振り返ると、パンデミック下で社会に起きた現象、なかでも社会の分断をめぐる状況について、イスラム世界には一つの特徴を見出すことができます。

一言で言えば、コロナ禍の不安のなかで、「敵」をつくりだして衝突することがなかったということです。

アメリカでは人種差別が改めて深刻な問題となりました。ヨーロッパでも移民への差別、ムスリム（イスラム教徒）への差別のように、ヘイト（嫌悪）が蔓延する3年間でした。しかしイスラム世界では、社会の誰かを敵として排除する動きは顕在化しませんでした。別の言い方をすれば、イスラム社会ではコロナ禍による社会の分断は起きにくかったということです。

コロナ禍以前には、「イスラム国（ＩＳ）」という大変凶悪なイスラム組織がイラクとシリアで同じムスリムを迫害していました。独裁者に対して民主化を求めたエジプトでは、軍がクーデタを起こして、反対する人たちを激しく弾圧しました。イエメンでは、いつ終わるのか誰にもわからない酷い内戦が続いていました。

このような分断の状況を見ていたので、コロナ禍に見舞われてから、イスラム社会での暴力が減少していったことが不思議でした。

いろいろ考えた結果、この落ち着きの背景には、より大きな災いに対するイスラム独特のレジリエンス（しなやかな強靭性《きょうじん》）があるのではないかと思いいたりました。

新型コロナの感染が拡大し始めたころ、世界の各国は対応を迫られました。ごく初期の段階では、“Stay Home”（ステイホーム）ということが盛んに言われました。

とりあえず「家にいろ」とはずいぶん原始的な対策だと感じたのですが、人の密集が感染を拡大させる以上、当然のことでした。

そのころ、イスラム圏でも、宗教指導者や国家のリーダーたちが、みな、「家にいなさい」と言い出しました。WHOの勧告を素直に受け入れたというのではありません。イスラムを創始した預言者ムハンマドの生前の言行を慣行（スンナ）として記したハディースの一節を引いて市民に感染拡大の抑止を訴えたのです。

預言者は「もしあなた方が或る土地にペストがはやっていることを聞いたならば、そこへ入るな。また、あなた方が居る土地にペストが起ったときはそこから出るな」と言った。

（『ハディース　イスラーム伝承集成〈中〉』881ページ、牧野信也訳、中央公論社）

ステイホームやロックダウンと同じことをムハンマドが言っていたのです。1400年も前の発言ですが、今日、いくつかの系統の伝承が真正なものとして認められています。

すべてのムスリムは、アッラー（神）の言葉そのものであるコーランと預言者ムハンマドのスンナに従わなければなりません。

この二つはムスリムの行動規範の典拠であり、誰もその内容を否定できません。そもそも、否定するならムスリムではありません。

ここに示した一節は、イスラム世界のリーダーたちが国民向けに呼びかけた演説でも引用されました。

トルコのエルドアン大統領は「政府に課せられた使命は、あらゆる措置を講じたうえで、アッラーにまかせることだ」と述べています（2020年3月18日）。

ムハンマドの時代とは、ペストが新型コロナに代わっただけで、感染症という点では同じです。しかも、WHOもまた同じことを呼びかけていたのですから、ムスリムから見れば、アッラーはやっぱり偉大だ、神の使徒ムハンマドは、アッラーの教えを基に新型コロナについても道を示していたということになりました。

ただし、ムスリムが実際にそれを守ったかと言えば、守っていないから感染が拡大する結果となったのも事実です。現実の世界では働かなければならないし、さまざまな楽しみのために人が集うことも簡単には止められません。預言者の言葉通りに行動しなかったとしても、互いを責めるような感覚はムスリムにはありません。政府の対策がうまくいかなかったとしても、政府を責める声も大きくなりませんでした。

ムスリムは身体をとにかく「洗う」

ムスリムと付きあっていると、彼らが非常に清潔を重視するのがわかります。とにかく「洗う」のです。手を洗うことはもちろん、礼拝の前には、身体のあちこちを洗って清めます。手を洗い、口をすすぎ、鼻から水を吸い込んで洗うのですから、感染症の予防に必要なことはすべてやっていました。

身体が「汚れた」状態にあるときには、これらの清めをしないと礼拝できないことになっています。排便、排尿、性器に触れた後、男女が接触によって性的刺激を受けた場合……実に細かく規定されています。

コロナ禍になって、日本でも、とくに有効な薬もワクチンもなかった初期には、うがいや手洗いが奨励されましたが、これもすべてイスラムには備わっていたのです。

ただ一点、社会的距離（ソーシャル・ディスタンス）を守ろうという感覚はありません。イスラム社会の場合、家族でない異性間では、そもそも距離が近づくことはないのですが、同性間や家族間の物理的な距離は近すぎます。

なにしろ、独りでいることは悪いと思っている人が多いので、すぐに集まってしまいます。挨拶ではハグをしますし、相手の目を見て大声でしゃべるので、感染のリスクは高かったはずです。家族が病気になったら近くにいてあげようとしますから、ソーシャル・ディスタンスだけは守れませんでした。

闘病の末に亡くなると、天国が約束される

もう一つ注目すべきは、イスラムにおける「死」のとらえ方です。ハディースには次のような一節があります。

アブー・フライラによると、預言者は「赤痢で死んだ者は殉教者であり、ペストで死んだ者も殉教者である」と言った。

（『ハディース　イスラーム伝承集成〈中〉』882ページ）

アーイシャが神の使徒にペストについて尋ねたとき、彼は「それはアッラーが御心のままに送られる罰であるが、神はそれを信徒達に対する恵みの手段にもされる。ペストが発生

したとき、アッラーが予め定められたことだけが起るということを確信して忍耐強く自分の国に留まる信者は、必ず殉教者と同じ報いを与えられるであろう」と答えた。

（『ハディース　イスラーム伝承集成〈中〉』882～883ページ）

闘病は「最後の審判で受ける罰の前借り」とされます。イスラムでは、この世界はいつか滅亡するという終末思想があります。そして、終末を迎えるとき、アッラーが死者を一人ずつ呼び出して、生前の善行と悪行を天秤にかけ、善行が重ければ楽園（天国）行き、悪行が重ければ火獄（地獄）行きとなります。これが最後の審判です。

病気で苦しむことは「善行」とされているので、病気で苦しい思いをすると生前の悪行が帳消しになって来世で楽園（天国）に行ける可能性が高まるとムスリムは考えます。闘病が苦しいものであるほど、闘病それ自体が善行となる仕組みです。

その結果、不幸にして命を落としたとしても、ハディースには明確に「殉教者」と書かれています。殉教者には来世での楽園（天国）行きが約束されます。つまり、ペストであれ、コロナであれ、感染症で闘病の末に亡くなると、天国が約束されるというわけです。

たとえ辛いことであっても、それを「神が予め定めたこと（定命）」として受け入れることは、「六信」といってムスリムが信じなければならないことの一つです。

日本であれ、西欧世界であれ、新型コロナによる闘病や死に対して、このようなポジティブな見方は存在しません。

これは、災いに対するムスリムの強さと言ってよいでしょう。ムスリムは、苦境に際して、独自のレジリエンスをもっています。ここで言うレジリエンスとは、苦難に「立ち向かう」というような強さのアピールではありません。苦境を可能なかぎりしなやかにかわしていくことです。

ムスリムには、どんな苦しみであっても、運命をアッラーの手にゆだねることで、不必要に悩まないという思考回路ができていると言えます。西欧では、イスラムと言うと、怖い神が人間の意思や自由を制約していると思われがちですが、それはまったくの誤解です。アッラーは、信徒が彼（アッラー）との契約を破ったときには激しい怒りを示して罰しますが、守ろうと努力して果たせなかった場合には、限りない慈悲を示します。辛い目にあったとき、この慈悲は極限まで深まります。それが彼らのレジリエンスの基になっているのです。

惨禍においてもパニックに陥りにくい社会

コロナ禍でのレジリエンスの基は、ムスリムが、信仰のなかに感染症に対する疑いの余地のない解答をもっていることでした。

先に述べたように、現実のムスリムは、仕事や勉学もありますから、ムハンマドの命令通りに移動を避けることはできません。つまり、イスラムのなかに解答があっても、それを実行するかどうかは、個々のムスリム次第です。このことを、非ムスリムである私たちは、まず、理解しておかねばなりません。ルール通りに行動する人は多いですが、だからといって、それができない人を罵《ののし》ったり、軽蔑したりすることはできません。結果は、アッラーの手にあるのですから、人が勝手なことを言えないのです。

それにしても、感染症（当時はペスト）に罹患しても、それを受け入れることで「恵み」がもたらされるという論理の立て方には、惨禍に対するイスラム的価値観がくっきりと表れているように思います。

このような社会はパニックに陥りにくいのです。パニックから、誰かを悪人に仕立ててうっ憤を晴らすというようなことは、イスラム的にはひどく嫌われます。

もちろん、コロナ禍においては、イスラム世界もまた多くの犠牲を払うことになりました。しかし、ムスリムは感染症を「克服」するというよりも、感染症によって信仰の道を正すことができたと神に感謝するようになっていきます。

このような思考回路は、ムスリムでない人間には想像がつきません。そこで、本書では、今の世界で起きているさまざまな事象に対して、ムスリムはどう対処していくのか、という点から、イスラムという宗教がもつ「強さ」とはどういうことかを書いていこうと思います。

不安や苛立ちのなかで、メンタルがもたないと感じる人は、日本でも外国でも、相当な数に達したはずです。罹《かか》りたくない、罹ってしまったらなんとか治したい。誰だってそうです。しかし今回のコロナは、いずれも有効な手段がありませんでした。そんななかで、罹ったら罹ったで、良いこともあるなどという発想が1400年も前にできた宗教のなかにあったのは驚きでした。

第2章 強さの源泉はどこにあるのか

分かち合いながら食べることは大切な善行

ムスリム（イスラム教徒）は、とにかく食べることが好きです。それも、家族と一緒に。そして、食べ物を分け与えることが大好きです。食事時にムスリムと一緒にいて、誘われないことはありませんし、誘われたときに、割り勘にしようと言っても断られます。あまりしつこく払うと言うと、相手が怒りますので気を付けてください。

気前よく他人に食事をふるまうのは、ムスリムがとても大切にすることです。なにしろ、イスラムでは、ケチというものをひどく嫌います。これはコーランにも出てくる神の言葉ですから絶対です。ケチな人間には来世で屈辱的な罰が待っているというのです。地獄行きの可能性もあるということですから、ムスリムは、基本的に気前のよい人びとです。

ムスリムは、何か嫌なことがあっても、おいしいものを食べると忘れてしまいます。おいしいものと言っても、別に高価な食材とか、珍しいものという意味ではありません。むしろ一般に味覚は保守的で、食べ慣れているもののなかに「おいしい！」を求めるようです。

古いトルコの映画を観ていると、豆の煮込みをおいしそうに食べるシーンがよくあります。クル・ファスーリエ（乾燥豆）という料理です。豆を一晩かけて水につけて戻して、玉ねぎのみじん切りとトマトソースで味を付けて煮込むだけの料理です。味付けによく使うトマトソースは、トルコ語ではサルチャと言います。もとは、農家で大量のトマトを大鍋で煮て、水分を飛ばしていくことでつくったものです。

今は缶詰を使いますから、サルチャの味そのものは均質化していますが、農家の自家製サルチャにはコクが深く実にうまいものがあります。これを微妙な加減で調節して、我が家の味に仕上げるのですが、みな、自分の母親や妻のファスーリエが一番だとゆずりません。貧しい農村で、恋人のためにこの料理をつくって食べさせる映画のシーンを目にすると、なんとも言えない、あたたかさを感じます。

トルコ料理は、家庭料理にこそ神髄があります。肉は高いので、庶民は毎日は食べません。その代わり、ふんだんにあって安い野菜を使います。さまざまな香辛料と油を加えて、味をとのえるのですが、調理法も材料もシンプルなのに、そこに独自の味の出し方があるのです。

こんなことを書くと、家庭料理は女性の領分だという性別役割分業を押し付けているとの批判を受けるでしょう。しかし、トルコの料理を詳細に見ていると、確かに分業はしているのですが、女性に押し付けているとは言えません。

有名な肉料理のケバブ類をつくるのは、店でも家庭でマンガル（BBQ）をする場合でも、男性の仕事です。肉を選ぶところから男性がやります。野菜などを買いに行くときも、1キロ、2キロと買うので、目利きは女性、運ぶのは男性という役割分業がなされていました。もっとも、今の都市部での生活では、西欧と同じように、こういう役割分業もなくなりつつあります。都会のスーパーには、調理済みのレトルト食品や冷凍食品がいくらでもあります。

もちろん、都市部には街の食堂から高級レストランまでさまざまな外食産業があります。これは私の個人的な意見ですが、高級なレストランであってもおいしいとは限りません。フランス料理やイタリア料理の要素を取り入れて工夫するのですが、かえってトルコ料理独自の味と香りが消えてしまうからでしょう。イスタンブールの富裕層の集まるあたりの店というのは、こういうところが多いようです。

それより、長く愛されてきた街角のケバブ屋、煮込み料理の店には、そこにしかない技が光っています。出しているメニューは、たいていどこも似ています。代表的なものは、肉のスライスを何層にも重ねて脇から炙《あぶ》ってそぎ切りにするドネル・ケバブ、肉の小片を串に刺して焼くシシ・ケバブ、香辛料を利かせたひき肉をみじん切りの野菜と混ぜて串に巻き付けて焼くアダナ・ケバブなどです。

オリーブ油の味と香り、肉そのものの味、香辛料の塩梅、煮込み料理でしたら、スープにいたるまで繊細な味と香りが加わります。食べることに並大抵でない執着がないとできないことです。

イスラムは、神によって許されている範囲で人生を愉しむことをまったく否定しません。食べることについてもそうです。ただし、飽食は戒めます。預言者ムハンマドが質素な食事を好んだことは、ハディースにしばしば出てきます。食べることを愉しむのは一向にかまわないが、貧しい人のことを忘れるな、むしろ食事を分け与えることを大事にせよ、と説いています。

この感覚は、ラマダン月の夕食（イフタール）のときに、存分に発揮されます。ラマダンとは断食のことではなく、イスラム暦の9月にあたる月の名前です。この月には、日の出から日の入りまで、欲望を断つことが求められます。食欲だけでなく、性欲もです。

日が暮れた後は、そのいずれも愉しんでよいとされ、一日の禁欲を守れたことを感謝して、存分に食べるわけですが、そのときに個食というのはいけません。罪というわけではありませんが、家族とともに、友人とともに、見知らぬ人とともに、食卓を囲むことに大いなる喜びを感じるのです。断食自体、ふんだんに食事をとれない貧しい人たちのことを思って飲食を断つという面があります。

ですから、イフタールには誰でも参加できます。実際、イスラム圏の町では、あちこちにイフタールの食事をふるまうテントが設けられ、貧しい人たちのために多くは無料で食事を提供します。ラマダン月の善行には神の報奨が倍加されることになっていますから、みんな「分かち合い」の食事に熱心です。

この何年かはコロナ禍でできませんでしたが、同志社大学でも、イフタールの夕べを開いてきました。大学も支援してくれたうえに、ムスリム学生向けのメニューを提供している生協も参加してくれます。京都でおばんざいの研究をしているサークルの方も参加して、ムスリムが食べられる和食を提供してくれます。そして、ムスリムの留学生たちは、各々、故郷の料理をつくって持参してくれるのです。

教員もお金を出しますが、ほとんどは留学生自身がやってくれます。最初に、一日の断食の務めを果たせたことをアッラー（神）に感謝する祈りを捧げます。ムスリムの留学生が礼拝の呼びかけ（アザーン）を朗誦し、みなで礼拝をした後、わっとテーブルを囲みます。

もちろん、ムスリムではない学生たちも歓迎します。ムスリムであってもなくても、関係ありません。ムスリムの学生たちは、日本人の学生たちが集まってくれるのを本当にうれしそうに迎えます。ムスリムにとって、食べることの喜びというのは、そういうことなのです。

ラマダンの夜に夫婦でセックスをすることも善行

預言者ムハンマドの慣行（スンナ）を記したハディースには、自分は女性と結婚しない、肉を食べない、ベッドで寝ないなどという初期の信徒を、ムハンマドが批判する話が出てきます。自分は礼拝し、眠り、断食もするし、食事もとる、もちろん、女性とも結婚する。このようなスンナを無視する人は、自分とは関係のない人だとムハンマドは言うのです。

この話には、自分勝手な禁欲を奨励しないというイスラムの性格がよく表れています。同時に、信仰実践について、他人に説教するような態度を戒めるものでもあります。「自分は、ここまで厳しくやっているのだ。すごいだろう。おまえは、まだまだ足りない」というような態度は、イスラム的に正しくないということです。

ラマダン月の「断食」は、食欲だけでなく性欲を断つことも求めています。だから本当は「断食」と訳すのはおかしく、「斎戒」と訳す方がよいでしょう。

ただし、日が暮れた後、夜に夫婦でセックスをすることは善行として奨励されます。コーランには、一日の禁欲を守った後に、飲むもよし、食べるもよし、そして（夫婦で）交わるもよしと記されています。

欧米や日本の社会では、イスラムとセックスについては、ほとんど何も知られていません。ハディースには、実に膨大な量のセックスに関連する記述があります。

まず、セックスは夫婦間でのみ認められ、神によって奨励される善行です。子どもをつくるための行為、という感覚ではありません。妊娠するかどうかは神が決めることであって、人智の及ぶところではないからです。

セックスは、純粋に快楽を求め、性欲を満たすためにする行為ということです。快楽を求めるのは夫にも妻にも認められています。子を授かるかどうかは神が決めることですが、セックスの結果、子どもを授かるのは、望むところでもあります。

ラマダン月のセックスについて、アッラーの言葉としてコーランには次のように書かれています。

おまえたちには斎戒の夜、おまえたちの妻たちへの睦言が許された。彼女たちはおまえたちの衣であり、おまえたちは彼女たちの衣である。アッラーはおまえたちがおまえたち自身を欺いていたのを知り、おまえたちを顧み戻り、おまえたちを赦し給うた。それゆえ、今は彼女たちと交わり、アッラーがおまえたちに書き留め給うたもの（注：子ども）を望め。そして、暁で、おまえたちに白糸と黒糸がはっきりする時まで食べて飲め。それから夜まで斎戒を全うせよ。そしておまえたちが諸モスクに御籠りをしている間は彼女たちと交わってはならない。それがアッラーの諸法度である。それゆえ、それに近づいてはならない。こうしてアッラーは人々に彼の諸々の徴を解き明かし給う。きっと彼らも畏れ身を守るであろう。

（コーラン２章１８７節　訳文は『日亜対訳クルアーン』作品社版による）

男性信徒に向けてアッラーが語りかけるかたちになっていますが、「彼女たちはおまえたちの衣であり、おまえたちは彼女たちの衣」という表現は、セックスが一方の快楽追求のためののものではないことを示しています。

ここではラマダン月のセックスについて、アッラーが人間に下したメッセージを書いていますが、夫婦間のセックスは基本的に善行とされていますから、結果として子どもを授かることも喜びとなります。

イスラムは人間が欲望に弱いことを認めています。そのことを端的に示す話がハディースにあります。ある男性がムハンマドのところに来て「自分は破滅だ」と言います。ムハンマドが訳を尋ねると、セックスが禁じられているラマダン月の日中に妻と交わったと言うのです。ムハンマドは、解放できる奴隷をもっているか、あるいは60人の貧しい人に食事を施せるかと尋ねるのですが、男性はできないと答えます。

ちょうどそのとき、籠に入れたナツメヤシが届けられたので、ムハンマドは男性にそれを貧しい人へのサダカ（善行）として施すがよいと言うのですが、男性は、今度は「自分ほど貧しい者はいない」と訴えます。しょうのない人ですが、ムハンマドは大笑いして、それなら君の家族に食べさせなさいと言ったそうです（日本ムスリム協会版の『サヒーフ　ムスリム』というハディースでは第2巻の206ページ）。

不倫のような婚姻外のセックスには、死刑という厳罰を科すイスラムですが、夫婦間での性交渉については、たとえラマダン月であっても、柔軟な規定になっています。「夫婦のあいだ」という大前提が崩されないかぎり、欲望に対する弱さを認めるのです。

快楽追求を目的とするセックスは認められるが……

女性の性欲や快楽について、ハディースに興味深い記述があります。ある女性がムハンマドの妻に、女性も男性のように性的な夢を見て「夢精」したらどうするのかと尋ねます。妻は「はしたないことを口にするな」とたしなめますが、ムハンマドは、男性も射精するのだから女性も同じことがあって当然だと言います。男性の精液が強ければ子どもは父親に似て、母親の精液が強ければ子どもは母親に似るという記述もあります。

イスラムには、女性の性欲や快楽を否定する考え方はありませんし、セックスが快楽のためにあることを認めています。センシティブな話題ですので、日本ムスリム協会版のハディース『サヒーフ　ムスリム』の翻訳を紹介します。

ウンム・スライムが、預言者の処に行き「アッラーのみ使い様、まことにアッラーは秘め事に関する真理をも明示なさる方です。夢精した女性は沐浴すべきでしょうか」とたずねた。これに対し、み使いは「その通りです。もしも女性が膣水を漏らした場合には」といわれた。

（『サヒーフ　ムスリム』第1巻228ページ）

この話は、同じハディースのなかで、いくつかの伝承が紹介されています。その一つには次のように書かれています。

> アーイシャは、こう伝えている
> 或る女性がアッラーのみ使いの処に来てこう質問した「女性が性交の夢をみ、その結果膣水を漏らした場合、沐浴すべきでしょうか」み使いはこれに対し「その通りです」といわれた。アーイシャはこの時彼女にむかい「あなたの両手に土がかけられ、傷つけられますように！」といったが、み使いは「そのようなことを口にしてはいけない！」と彼女をたしなめて後「子供が母親に似るのは、女性の精液が男性のそれより優っている場合で、この折子供は母方に類似します。男性の精液が優っている場合は、子供が父方に類似するのです」といわれた。
> （『サヒーフ　ムスリム』第1巻229ページ）

快楽追求を目的とするセックスを認めるため、行為にあたっては、常に、神を畏れることが求められます。セックスの前には「神がサタン（悪魔）を遠ざけてくださいますように」と唱えるものとされています。それだけでなく、セックスの後の清めの方法についても、なぜ、これほど詳細な記述が残されたのか不思議なくらい、細かく伝承されているのです。

女性の性的な欲求をタブー視しないということは、女性も性欲をもつことを前提として認めていることになります。ただしそこから、別の問題が出てくるように私には思えるのです。男性による女性支配の欲求です。夫婦なのだから、自分の要求に従えという支配欲が、現実のムスリム社会のジェンダー・ギャップの根幹にあります。性欲を含めて、女性が「強い存在」であることを知っているがゆえに、男性は恐怖心から支配しようとするところがあります。

アダムとイブの話はコーランにも登場します。欲望、とくに性欲が道を踏み外す原因になることをアッラーは知悉《ちしつ》しているがゆえに、厳格に夫婦間のみとしたのでしょう。そして、セックス自体は夫婦間で秘めておかなければなりません。イスラム圏では、他人に見られるようなかたちでのセックスが犯罪になる国が少なくありません。もっとも、これはイスラム圏に限ったことではありません。日本でも、公然猥褻《わいせつ》は罪に問われますし、たいていの国には日本で言う「公序良俗」のような規範があるものです。

ハディースのなかには次のような記述もあります。

> アッラーのみ使いは「(注：最後の) 審判の日、アッラーの御目からみて、人々の中で最も悪い者は、妻の処に行ってきいたり、また、妻が彼の処に来て話したりした妻の秘密を

漏らす者である」といわれた。

（『サヒーフ　ムスリム』第2巻475ページ）

ベッドでの夫婦のことを他人にしゃべるような人間（男性）は最低だというのです。この点にも関連しますが、他人のセックスを覗き見るようなポルノグラフィは、イスラム圏では発達しません。不倫をはじめ、禁じられたセックスを題材にしたりすると妄想より嫌悪感が先にたってしまうのでしょう。

性に関することは、一般の信徒にとって最も日常的な問題ですし、欲望と直結しているので、さまざまな質問がムハンマドに寄せられています。ムハンマドの言行を記したハディースには、セックスに関する質問とムハンマドの答えが実に細かく記されています。

体位についても、正常位だけでなく後背位も許されるという話がハディースに出てきます。ある男性が、後背位でセックスをすると子どもの目に障害が出るとユダヤ人たちが言っているが本当かとムハンマドに尋ねたのですが、ムハンマドは否定しています。セックスの体位については、すべて許されているということです。

ただし、イスラムでのセックスは、夫の性器と妻の性器との結合が完遂されることと定義されます。したがって、それ以外の性交は「姦通」とみなされます。ソドミーの名で知られる肛門性交が、男女を問わず厳格に禁じられるのもそのためです。もう一つ、禁じられているのは生理中の性交です。

イスラムの先生（あとで改めて述べますが、イスラム指導者のことです）が信者の質問に答えるサイトはネット上に数多くありますが、そこにも、夫が肛門性交を求めてくるが応じなければならないかという妻の相談があります。イスラムの先生の答えはみな同じで絶対にダメだとくぎを刺します。たとえば、イスラム・オンラインというサイトの法解釈についてのページでは、ハディースから根拠を示して説明しています（https://fiqh.islamonline.net/en/islamic-ruling-on-anal-sex/）。

イスラムの教えが法律になっている国では、婚姻関係にない人同士のセックスが、姦通とされて死刑になる可能性があります。可能性と言ったのは、実際には密室で行われるため立証が非常に困難だからです。姦通を立証するには、男性4人による目撃証言が必要で、その目撃というのは、厳密には男女の性器が結合されている状況でなければなりません。不倫関係にあって、そんな間抜けなカップルは、そうそういません。それに、未婚の男女の場合は、結婚させてしまうという方法で処罰を避けることも多いようです。

金儲けは善行だが、利子を取ってはいけない

もう一つの欲望、金銭欲についてはどうでしょう。

商売でお金を儲けることは当然の行為です。ムハンマド自身が商人でしたから、コーランやハディースには商取引についての言及がたくさんあります。極端なことを言えば、イスラムというのは商人の宗教として広がったと思えるくらいです。

イスラムには、商売そのものが善か悪かという感覚はありません。そのうえで、公正な取引、弱者（貧しい人）を思いやる商売をすると、善行として神の報奨が得られるとしています。逆に不正な取引は、神の罰を受けると何度も警告しています。

利子（リバー）を取ってはいけないというルールはよく知られています。商取引は等価交換でなければならないからです。ハディースには、貨幣同士を交換する場合でも、商品を交換する場合でも、「目の前」で等量・等質で行わないとリバーになるからダメだという話が出てきます。

たとえば、ムハンマドに献上するためにナツメヤシを買った人が、自分のところには質の悪いものしかなかったので、半量を上質なものと交換してムハンマドに持って行ったところ、それはリバーになるからダメだと叱られる話がハディースにあります。ムハンマドは、まず手持ちの質の悪いナツメヤシを売り、得た代金で上質なものを買うのならよいとしています（『サヒーフ　ムスリム』第2巻631〜632ページ）。

そして、ムハンマドは、ナツメヤシの実の売買を完全に熟すまで禁止しています。穀物については、穂が白くなり、病虫害から安全であることが判明するまで禁じています（同581ページ）。不確かな取引や先物取引は禁じられます。これは、将来の不確定な価値を金銭で取引することが等価交換の原則に反し、リバーを生む原因となるからです。

食料（穀物）を買った者はそれを実際に入手するまで、さらに実際に計量して量を確定する前に転売してはならないとしています（同576ページ）。

つまり、リバー（利子あるいは高利）、不確実な取引、投機的な取引を禁じているのが原則的な考え方です。

商品が天災などで得られなかった場合には、損をした買い手には喜捨をして、それでも足りなかったら、あきらめろという規定もあります。借金をして返せなくなった人には、返済を猶予してやることで最後の審判のときに神から褒美がもらえるとされています。つまり、投資は可能なのですが、損も得も引き受けることが前提になります。何に投資しているのかが、投資家に見えていることも重要なポイントです。

これらのルールから見えてくるのは、一言で言えば、商売はいくらしてもいい、ただし、公正（フェア）な取引をしなさいということです。

そして、利益を得るということもアッラーの意志、損をするのもアッラーの意志です。自分の才覚で儲けたなどというのは、イスラム的にはダメなのです。その代わり、損をしても、その責任をすべて自分がかぶる必要もないということです。

そこで重要視されるのは、儲けの一部を「喜捨」として差し出すことです。これは、善意ではなく義務です。これを差し出さないケチな人は地獄で大変な目にあうことになります。アッラーから財産を与えられながら喜捨をしない者には、最後の審判の日にその財産が二つの瘤《こぶ》をもつ毒蛇になり、首に巻きつき鋭い顎で噛みつく、金銀財宝が地獄の業火で真っ赤に焼けて、脇腹や背中に焼き印となって押されることになる……いずれもハディースに出てくる話です。

一つ、トルコの例を挙げます。２０２２年、トルコは激しいインフレに見舞われていました。ウクライナ戦争による資源価格の高騰だけでなく、旺盛な消費意欲もあって、どんどんものの値段が上がっていきます。インフレ率はざっと１００％（ものの値段が1年で2倍になる）に達していました。トルコのニュースを見ていると、政府が「ため込み屋」を厳しく摘発するという話が頻繁に登場します。

衣料品や生活用品などは、1年前の2倍以上に値段が跳ね上がっています。携帯電話の値段もそうです。腐らないものは、ストックして（ため込んで）おけば、1年後には2倍以上の値段で売れるわけです。価格を2倍にしても、それが古い商品かどうか見分けがつかなければ、そこで儲けを出すのは簡単です。実際、3倍にしても、誰にもわかりませんから、必ず、ため込んで、インフレ率よりもさらに高く売ろうとする商人が出てきます。

これは、先物取引によって不公正なリバーを得るのと同じです。イスラム的には禁じられた行為です。トルコの与党は、イスラムの道徳や価値観を重視しますから、このような「ため込み屋」がインフレの元凶だとして厳しく罰する方針を打ち出しています。

同時に、トルコのエルドアン大統領は、頑強に利上げをしないと主張しました。インフレのときには、金利を引き上げて景気をスローダウンさせるのが常道です。アメリカでも中央銀行にあたる連邦準備制度理事会が、何度も金利を引き上げてインフレを抑えようとしています。

本来、金利の引き上げや引き下げを決めるのは中央銀行の仕事ですから、エルドアン大統領の発言は中央銀行の独立性を損なうもので、世界中から批判を浴びました。しかし彼はまったく動じません。

彼が利上げを拒否した理由は簡単なことです。物価高のなかで、国民のほとんどが、住宅ローンや自動車のローンを組んでいます。生活資金の不足を補うためにカード・ローンを組んでいる人も多数います。その状況で、政策金利を引き上げれば、ローン金利はさらに上がりますから、国民生活を直撃します。それは、貧困層、すなわち弱者を痛めつけることになるからダメだというのです。

インフレのレベルが違いすぎるので、比較になりませんが、日銀の黒田前総裁が、一貫して金利引き上げに応じなかったのも、原理的には同じ理由です。

現代の金融商品はイスラム的に許されるか

現在の世界で流通している金融商品のなかにはイスラムには合わないものが多数あります。株式は、その企業に投資をすると同時に、いわば企業の持ち主になることですから、当然、損も得も分け合うという意味では禁じられません。

しかし、株は株式市場で売買され、価格が上がったり下がったりします。企業の収益や価値と株価は必ずしも連動しません。そうなると、イスラム的には問題だということになります。まして、機関投資家が、投機的に売ったり、買ったりすることで、株価を下げたり上げたりするのは、イスラム的に不正な行為になります。ムスリムでなくても、博打性の高い取引は不公正なものだと思いますが……。

投資信託になると、投資家は何に投資しているのかが見えなくなります。証券会社や銀行が売る投資信託を買っても、その中身、つまり投資したお金をファンド会社がどこにどうやって投資しているのかは、通常、投資家には見えません。

金融工学を駆使してつくられたデリバティブ（金融派生商品）では、イスラム的に禁じられている（ハラーム）ものが多くなります。先物取引と利子と不確実な取引が組み合わさったような商品は、投資家にとってブラックボックスになっているからです。

イスラムは博打を禁じています。現代の金融商品とその取引というのは、基本的に博打だと私には見えます。博打性の高い商品（金融用語で言うリスクの高い商品）から博打性の低い（リスクの低い）商品が並んでいるだけで、博打は博打です。

日本で言われるように、投資は自己責任でやればいいじゃないか、と思われるかもしれません。投資する側についてはその通りですが、問題なのは、金融商品がイスラム的に禁じられたものである場合です。イスラム圏の国では、金融商品がシャリーア（イスラム法）適格であるかどうかを審査する委員会がありますので、それにパスしていれば問題はありません。そういう金融商品や取引をイスラム金融と言います。

ムスリムがイスラム金融に従わない商品に手を出さないかと言えば、出します。現実には、ムスリムが東京市場やニューヨーク市場でさまざまな金融商品を売買することもあります。仮想通貨もそうで、ムスリムも市場に参加していますが、通貨そのものさえ目に見えない上に、価値が上がったり、暴落したりするわけですからイスラム的にはハラーム（禁じられている）とされます。

個々のムスリムが、経済活動において、いちいちイスラム的に正しいか、つまりシャリーアに適合するかどうかを基準にしているのか、という質問をよく受けます。

商売、つまり何らかの品物（目に見えるもの）を売り買いすることは、不当に高い価格で売りつけたり、低い価格で買いたたいたりしなければ、何の問題もありません。

複雑なのは金融取引です。「利子」は禁止だというのですから、たとえば、お金を銀行に預けただけで金利が付くのは不可となります。しかし、ある事業に共同で参加して、そこから上がる収益を預金者に分配するなら可とされます。なんだ、同じじゃないかと思うかもしれませんが、損をした場合には、損害額も分配されますので、元本保証はありません。そこは、私たちが知っている銀行預金と違う点です。

企業が資金を集めるとき、株式を発行するか、債券を発行するかという二つのやり方があります。債券というのは、たとえば国債も同じことですが、買ってくれた人に利子にあたるクーポンを定期的に支払い、満期になったら額面の金額を返すものです。100万円の会社の債券（社債）を10年後に100万円で返すと言ったら、誰も買ってくれません。だからクーポンを付けるのですが、これがイスラムでは利子にあたるので禁止されます。

そこで、複雑なやり方をします。以下に一つ例を挙げましょう。

イスラム金融機関に（事実上の）債券を買ってもらう場合の話です。資金を必要とするA社があるとします。A社は不動産を用意して、第三の会社（SPC：証券を発行するための特別目的会社）をつくります。このSPCがイスラムに従った債券（これをスクークと言います）を発行し、イスラム金融機関に買ってもらって資金を集め、そのお金でA社から不動産を買い取ります。資金を必要とするA社は、ここでSPCから資金を得たことになります。

SPCは、この不動産を運用してイスラム金融機関に、一定期間、賃貸料（これが債券のクーポン、私たちにとっては利子）を支払います。最後に、A社が不動産を買い戻し、それを原資として、SPCがイスラム金融機関に額面金額（元本）を返すのです。このやり方は、賃貸借契約（イジャーラ）に基づいているので、イスラム的に合格ということになります。

非ムスリムから見ると、なんてばかばかしく複雑なことをするのかと思いますが、「利子」によって、お金が独り歩きして増えるのではないということにするのです。

最近日本では、老後の資金が足りないから投資をしろと金融機関に勧められることが増えました。無数にある金融商品のなかから選べと言われるのですが、儲かるのか、損をするのかはやってみなければわかりません。当然のように投資は自己責任でやれと言われます。

「不確実」「投機」を避けるには仕方ないのです。あいだに不動産という「実物」をはさむこと

それはそうですが、ここに一つ抜けている要素があると思うのです。それは「善悪の基準」です。イスラム的に言えば、ハラール（許されている）なのかハラーム（禁じられている）なのかという問題です。イスラムは、利子を禁じるだけでなく、賭け事を禁じます。商品現物の裏付けなしに、お金だけが増えたり、減ったりするという先物取引も認めません。つまり、取引にも、きっちり善悪の基準を設けているのです。それも、人間が定めたのではなく、神が定

めた善悪として。

私は、寄ってくる銀行や証券会社の勧める金融商品の説明書を読みながら、イスラム的な視点、つまり目に見えるものに自分の意思で投資する方が、気が楽であることに気づきました。それで老後の資金づくりにはならないでしょうが、博打性の高いものに投資して、心の平安を乱されるよりよいかもしれないと思っています。

人間が欲望に弱いことを認め、禁欲を説かない

食欲も、性欲も、金銭欲も、正しく行えば善い行いということになる。これがイスラムという宗教の人間観における一大特徴ではないかと思っています。キリスト教のように、禁欲を説きません。人間は、欲望に弱い存在だということを前提としているからこそ、欲望を満たしていい、ただし、ルールを守れと説くのです。

イスラムの強さというのはここにあると私は考えています。この10年、イスラム圏では、シリア、イエメン、リビア、アフガニスタンといくつもの国でひどい内戦が続きました。コロナ禍は、イスラム世界も覆いつくしました。ウクライナ戦争とともに、今度は物価が急上昇し、生活は苦しくなっています。パレスチナ、とくに閉じ込められたままになっているガザの人びとの苦しみというのは、想像に余りあるものです。

しかし、こういう状況でも、そこに住む人びとが落ち着いていることが、私にはずっと不思議でした。惨憺たる状況に絶望して自殺する人も非常に少ない。状況が悪くても、政治的な原因から起きる戦いやテロを除けば、治安が悪化することもないのです。

いろいろな意味での状況の悪さにもかかわらず、その渦中にあっても、人がしなやかに生きていける。それがムスリムのレジリエンスです。

現世の生活がいくらひどくても、最後の審判で神が楽園に導いてくれる。アッラーは、すべての人の生前の善行と悪行を天秤にかけて、死者の居所を楽園（天国）か火獄（地獄）に振り分けます。それは、生前の豊かさや権力や地位とは何の関係もありません。

来世では、現世の苦しみや快楽は完全にリセットされます。現世で欲望を満たすのはよいけれども、それが神の罰の対象になるのであれば、来世は地獄です。

最愛の人を失っても、神が代わりを下さる

現世で幸福を得られなくても、善行を積み重ねていれば、来世は楽園に居場所をもらえます。

人間、ふつうは現世のことしか頭にありません。特定の信仰をもたない私もそうです。いったい、来世で楽園に行けたら、頭の痛くならない美酒が待っているとか、おいしい食べ物が用意されているとか、愛らしい女性たちが待っているとか……そんな楽しそうな（男性中心では

ありますが）来世を信じこませることに成功した宗教は、ほかにあるでしょうか。

ここにも、イスラムの強みがあります。

もちろん、火獄（地獄）の情景は壮絶なくらい悲惨なもので、業火に焼かれ続けることになります。しかし、自分は地獄行きだと怯えるムスリムには会ったことがありません。

イスラムの場合、何をすれば善行、何をすれば悪行というのが、はっきり示されていますから、自分なりに計算できるところが面白い宗教です。

しかも、ラマダン月は聖なる月で、この月の善行は報奨が倍加されることになっています。そのため、日ごろ悪いことをしている人は、一層、善行に励みます。なんとか帳尻を合わせようとするのでしょう。もちろん、日ごろから善行を積む人は、ラマダン月にはさらに善行を積んで、神の慈悲にすがろうとします。

ムスリムの葬儀に参加することも善行の一つです。亡くなった人が、アッラーの慈悲に出会えることを祈り、あの世での居場所が楽園でありますようにと口々に遺族に伝えます。もちろん、家族を失えば悲しみの底にあるのですが、遺族が泣き叫ぶようなことは禁じられています。なぜ、泣いてはいけないのでしょう。ムハンマドは、涙を流してはいけないとまでは言っていません。

しかし、イスラムでは、人はアッラーの被造物であるから、この世に生を享けるのも、あの世に旅立つのも神の意志によるとされます。死ぬことも神の意志で、神の御許《みもと》に帰ることになります。それを嘆くというのは、神の意志に逆らうような感覚なのでしょう。

ハディースには、「死者は家族の嘆きによって墓の中で苦しめられる」という表現も出てきます。死んで神の御許に帰ることは、遺された人にとっては大きな災いですが、それを耐え忍ぶことで、神が「より良きもの」をお与えになるともハディースは伝えています。

この感覚も私たちにはないものです。最愛の人を失ったら、代わりを神が下さるとは、考えもつかない発想だと思うのです。この発想は、アッラーという超越的絶対者を信じるがゆえに成り立つものです。そして、神の意志を完全に受け継いだのが、神の使徒である預言者ムハンマドです。すべてのムスリムは、この二人の下にあるわけです。

神は絶対者ですから、「一人」と数えるのも変ではあるのですが、コーランのなかで、神は自分の意志を示し、完全に擬人化されています。怒ったり、同情したりもする人格神なのです。

ムハンマドは、神の啓示を最後に受け取った人ということになります。先に啓示を受け取ったのは、モーセやイエス・キリストたちです。ただ、キリスト教のように、預言者に人性と神性が混ざったりしません。ただの人間です。しかし、アッラーから完全な啓示を受け取ったということで、ふつうの人間ではありません。

そこから先には、１４００年の歴史があります。当然、イスラムにも、さまざまな宗派が生まれます。ただ、原点となるコーランとハディースに反する流れにはなりません。

さらに大切なことを付け加えれば、コーランには異本がありません。違う内容のコーランは存在しないということです。コーランは、アッラーがムハンマドに語った（下した）啓示ですから、何種類も違ったバージョンがあったら、信ぴょう性が疑われてしまいます。もっとも、ムハンマド自身は読み書きができなかったと伝えられていますから、弟子たちが書き留めて、一系統だけが残ったのでしょう。

ハディースの方はムハンマドの生前の言行を記していますから、誰がどのように聞いたかによって系統が分かれていますが、今では、信頼するに足るハディースは何系統かにまとめられています。

コーランとハディースは、すべてのムスリムの信仰生活の根本となります。そこから先をさらに学んでイスラム学者になる信徒もいれば、イスラムの勉強とはほとんど無縁に過ごす信徒もいます。

「ふつうの信徒」の思考と行動様式を知る

ムスリムでない私たちの側から見て、ムスリムとどう付きあうかを考えるうえで重要なのは、圧倒的に数の多いふつうの信徒の思考と行動様式です。

髭だらけでターバンを巻いてカラシニコフ銃を担いでいる男性、真っ黒な衣装で全身を覆っている女性。この20年、欧米のメディアはそういう人の姿を映しすぎました。あたりまえですが、世界のムスリムはそういう人たちばかりではありません。

毎日の礼拝を欠かさない人もいれば、時々する人もいる。断食を守る人もいれば守らない人もいる。生涯酒を口にしない人もいれば、酒好きの人もいるのです。しかし、全体として見れば、イスラムの教えを守る人が圧倒的に多いのは確かです。私たちが知っておくべきは、そのことです。

そして、「イスラムの教え」というのは、私たちが「戒律」と思っていることだけではありません。

教科書的に言うと、イスラムの「戒律」の代表として以下の5つの行為があります。

①「アッラー以外に神はない。ムハンマドはアッラーの使徒である」ということを心から信じ、それを唱えること
②一日5回の礼拝
③弱者のために喜捨をすること
④ラマダン月に斎戒（断食）すること

⑤一生に一度メッカに巡礼すること

これらのなかで、ムスリムにとって絶対なのは、最初の「アッラー以外に神はない。ムハンマドはアッラーの使徒である」を心の底から信じることです。それがないと、ムスリムにはなりません。ムスリムとは「イスラムする人」のことで、イスラムとは、超越的絶対者である唯一神アッラーにすべて従うという意味だからです。ムスリムか、ムスリムでないかを分ける一線は、そこにあります。

一方、子どもにやさしいこと、ハンディキャップのある人にやさしいこと、年寄りにやさしいこと、旅人に親切なこと、何かを頼まれると断れないこと、食べ物は分け合うこと、こういう面は、私たちが知っている「戒律」を守るかどうかとは別に、ほとんどのムスリムに共通しています。

嘘をついてはいけない、商売は公正にやらなければいけない、理由なき殺人はいけない、というような教え（これも「戒律」と言えば戒律なのですが）については、見ていると、いくらでも嘘つきはいます。商売でインチキをする人もいます。それに、ムスリム同士でも殺し合いをしています。イスラム法に従えば、あれだけ恐ろしい刑罰（石打ちによる死刑）が科される姦通（不倫）にしても、犯す人はいます。

つまり、ムスリムなら神によって禁じられている行為をしないはずだ、というのも現実には合っていません。このことは、規範をもつ他のどんな宗教にも言えることです。

そして教えに反したことをする人はムスリムとは呼べない、と言うことはできません。ある個人が、ムスリムであるのかないのかは、アッラーにしかわからないことだからです。

イスラムには、キリスト教カトリックの教皇のように、神の代理人役をつとめる人はいません。カリフがいれば、神の使徒ムハンマドの代理人になるのですが、それも現在はいません。その状態では、誰かがアッラーの代理人のように、「あいつはムスリムじゃない」と糾弾することは、論理的にもできません。

カトリックでは、信者が罪の告白をして聖職者が赦《ゆる》しを与えたりします。あれも、イスラムではできません。神に代わって罪を赦せるような「聖職者」がいないからです。

イスラムに女性の教育を禁じる教えはない

「イスラムの強さ」は、ムスリムに共通しています。強さの源泉は、さまざまに分岐していくイスラムのなかにあるのではなく、原点のコーランとハディースのなかにあります。

しかし、現実のムスリム社会は、歴史的、地域的に根付いてきたさまざまな混ざりものによって、本来のイスラムとは違う価値観を重視することもあります。2022年に問題になったアフガニスタンの女子生徒や大学生の登校禁止、NGOへの女性の参加禁止もそうです。

イスラムには女性の教育を禁じる教えなどありません。それを禁じることにイスラムから見て合理性があるとすれば、教育の場としての学校にイスラムにはふさわしくないものがあるか、教育内容にふさわしくないものがあるかのいずれかです。

アメリカ軍が撤退し、アフガニスタンはすでにタリバンの手にあります。アメリカが残した西欧的な教育に不満なら、それを変えれば済むはずで、教育の機会を奪う理由はありません。

タリバン政権のイスラム指導者たちのなかに、伝統的で家父長制的な価値観から、女子は家にいて家庭を守るべきだというような考えをもつ人がいるのかもしれません。

これは私の推測ですが、タリバン政権では、原則論に忠実な強硬派（武装闘争では過激派とされた人たち）ではなく、ローカルで保守的な価値観を重視するような人たちが意思決定の中枢にいて、女性に教育はいらないというような方向に政権を引っ張ってしまったのではないかと思うのです。

こんなことは、イスラムの本質とは関係ありません。私から見ると、信仰への「混ざりもの」です。イスラムで言う知識とは、アッラーの啓示であるコーランを学び、ムハンマドの言行（スンナ）を学ぶことです。つまり、イスラムを正しく「学ぶこと」で得られるものです。

教育を受けずにイスラムを知ることはできません。あたりまえですが、女性が教育を受けなかったら、女性医師も保健師も薬剤師も教師も育ちません。したがって、女性に教育の権利を保障しないことは、イスラムの道に反します。

イランでヒジャーブ（頭部を覆う被り物）の着け方が悪いという理由で「道徳警察」に拘留されたクルド人女性マフサ・アミニさんが亡くなった事件もそうです。真相が不明なので断定はしませんが、政府に抗議する人びとは、女性は警察で暴力を受けたことで亡くなったと信じています。もしそうなら、政府機関である「道徳警察」の行為は、イスラムからは外れたものです。

ヒジャーブ着用に反したとして、女性の身体に罰を与える規定はイスラムにはありません。「保護者」である男性を呼び出して説諭するならわかりますが、女性を死に至らしめるなど、イランという国家の体制が、イスラムの道から外れているということを示すものです。

2023年の1月になって、イランの最高指導者ハメネイ師は興味深い発言をしています。「女性が頭部を覆うことはイスラムの定めた義務だ。そのことは理解してもらう必要がある。しかし、ヒジャーブの被り方が悪い女性が不信仰者だとか、国家に対して反逆する者だとみなすのは誤りである」

イランの最高指導者が妥協を図っているように見えます。イスラム国家の指導者としては、「道徳警察」が踏み外した道を正さなければなりません。もちろん、そんなことで激しい反体制運動が収まるとは思えません。国民の側には、イスラム体制そのものにうんざりしているムスリムもいるからです。

シーア派のイランでは、イスラム指導者が国家（信徒の共同体）を統率するという約束ごとがあります。民衆がそれを嫌うなら、体制側は、民衆を説得する以外にありません。説得できないから暴力で抑えつけるのでしょうが、最後は、ムスリムである民衆がついてこなければ体制は成り立ちません。

宗教を切り離した世俗主義国家の重大な欠点

この二つのケースを見ると、いずれも一般のムスリムは国家のやり方に激しく抵抗しています。民衆がイスラムの道から外れた政権に反抗するのは、イスラム的に正しいことです。これもまた、イスラムのすごさ、強さだと思うのです。

イスラムだから女性の権利を奪っているのではない。「国家や体制がイスラムを名乗りながら、女性の権利を奪っている」という非難を民衆が権力に浴びせることができるのも、イスラム社会ならではのものです。

この場合、イスラムを名乗る体制は、民衆の言い分を学問的に精査して答えなければなりません。イスラムの先生たちは、自分の学識に従って見解を述べますから、必ず、民衆の言い分を正当だとする意見が出てきます。たいていは、強権的に弾圧することは間違いだということになります。

現在の世界では、ムスリムが多数を占める地域でも、西欧近代国家をモデルにして国づくりをしてきました。

このことは私たちにとっては当然の原則ですが、ここに一つ、重大な欠点があります。世俗的な国家には、宗教に由来する道徳は通じません。倫理的におかしいと思うようなことがあっても、「国家に逆らうな」という言説が、しばしば前面に出てきます。弱者にやさしくしなくてはいけない。これはイスラムの重要な教えの一つですが、世俗国家では通用しないことが多いようです。

世俗国家の問題はもう一つあります。「国と国」「民族と民族」の紛争が起きると、どちらかが甚大な犠牲を払って敗北しないかぎり、戦いが終わらないことです。今、まさにウクライナでの戦争は、私たちにそれを見せつけています。

ウクライナにも非があるという意味ではありません。侵略したロシアに非があることに100%疑問の余地はありません。しかし、勝ち負けをつけずに戦争を終わらせることができない。その結果、ウクライナ市民の犠牲はどんどん増えていくことになります。

女性や子どもを戦争で犠牲にしてはならない。イスラムは、このことを非常に強調しますし、イスラムでなくても、こんなことは普遍的な道徳です。しかし、この道徳では、世俗国家の戦争を終わらせることはできないのです。

戦争が始まってから、トルコは一貫して、ロシアとウクライナの双方に停戦と戦争の終結を呼びかけてきました。

日本のメディアはたいてい欧米のメディアの焼き直しで、「トルコの姿勢には何か思惑があるに違いない」「うまく立ち回ってロシアから安く原油や天然ガスを買うつもりだ」と書いてきました。もちろん、トルコはエネルギー資源を輸入に頼っていますから、安価で買えるならそうします。

トルコに対する批判の背景には、アメリカやG7による対ロ制裁に応じない国は「悪い国」だという主張があるように見えます。G7とは、「先進国」ではなく、「自由や民主主義の価値を共有する」国家の集まりだという主張も、最近、日本でよく聞かれるようになりました。

私が疑問に思うのは、G7はロシアと直接対決せず、かといって和平を模索するのでもないことです。世界に一つぐらい、和平に向けて仲介する国がないと、この戦争は果てしなく犠牲者を増やしていくことになります。

トルコが一貫して戦争の終結を呼びかけているのは、「イスラム的道徳」に裏打ちされているからです。女性や子どもを傷つけてはいけないという道徳です。しかし、G7も他のヨーロッパ諸国も、そこを見ようとはしません。これまでトルコを率いてきたエルドアン大統領は、敬虔《けいけん》なムスリムでイスラムの学識を重視する人物です。それでいて、西欧の世界がどういう考え方をするかもよく知っています。

ロシアが侵略し、ウクライナに戦争の惨禍をもたらしたことについて、トルコは一切、正当性を認めません。

ロシア軍がシリア内戦に介入して、２０１５年から16年にかけて、第二の都市アレッポを徹底的に攻撃し、多くの人命を奪ったことに対しては、激しい怒りを表明しました。トルコ空軍は、ロシアの戦闘機を撃墜したことさえあります。一度、本気を見せてから、ロシアとの交渉に入っています。

同じように、アメリカが主導したアフガニスタン侵攻やイラク戦争で、テロリストとは無縁の民衆を犠牲にしたことにも、一切の正当性を認めません。ＮＡＴＯ（北大西洋条約機構）加盟国として、アメリカから戦闘への参加を求められても、トルコは応じませんでした。

トルコは、「民族vs.民族」「国民国家vs.国民国家」の戦争が始まると収拾がつかないことを知っています。日本ではあまり意識されませんが、民族も国民国家も、どちらも西欧近代の産物で、イスラム社会に持ち込まれるとさまざまな軋《きし》みが生じることを知り抜いているのです。

ロシアによるウクライナ侵攻の結果、世界でも最大級の穀物生産国であるウクライナ、最大級の肥料供給国であるロシアからの輸出が止まれば、一番大きな被害を受けるのが貧しい国々、なかでも貧困にあえぐ中東やアフリカの弱者だということを、トルコは重視しているのです。

西欧世界に生まれたナショナリズムというものは、キリスト教世界がキリスト教から離れて世俗主義（国家と宗教を分離する）を採用したことによって、非常な勢いで強まりました。

西欧の場合、もともと、キリスト教の強かった中世のころでさえ、国家ごとに教会が分かれていて、各国の王は戦争をするときに、神のご加護を祈っていました。神の意志を国家のために利用するという下地ができていました。

近代以降になると、国家の力は圧倒的に強くなり、ナショナリズムを振りかざして争うようになります。ナショナリズムの基になっているネイションとは、民族や国民を指しますが、これを掲げて争うと、もはや妥協の余地はなくなります。

教会は、戦争する国家や権力者のために祈るだけで、戦争を和議に導く宗教的な倫理はまったく利かなくなっていきます。ロシア正教のクリスマスは1月7日です。ロシア正教会とプーチンが、クリスマス停戦を呼びかけましたが、ロシア正教会が独裁者プーチンに奉仕する姿を見せつけただけでした。

ただ、このことでロシアの教会を非難しても意味はありません。アメリカのキリスト教会は、アフガニスタンやイラクで戦うアメリカ軍兵士のために祈り続けました。アメリカの戦争によって、どれだけ無辜《むこ》のムスリムの命が奪われようと、教会は彼らのために祈りはしません。イスラムに教会がないことは、この点で大きな意味をもっています。教会がないことによって、イスラムには国家のために奉仕する理由がずっと少なくなるからです。

オスマン帝国は宗教も言語も押し付けなかった

ムスリムの国同士の戦いの場合、どこかで講和を結ぶ余地が必ず残されています。16世紀にオスマン帝国が西のヨーロッパを征服していく過程でもそうでした。戦いになっても、徹底した破壊にいたる前に、必ず相手に降伏を呼びかけ、国民の生命と財産の保障と引き換えに臣従の約束を交わせば、そこで攻撃をやめます。

相手が応じれば、それ以上の略奪は禁じられ、キリスト教徒やユダヤ教徒に改宗を強制することもできません。まして、言語を押し付けることもしません。バルカン諸国は、オスマン帝国に征服されましたが、どの民族も宗教や言語を失っていません。

ヨーロッパ諸国のように、支配には「文明化の使命」があった、そのおかげで英語やフランス語を習得できたじゃないか、などという恩着せがましい感覚はイスラムにはありません。一方的に農作物を収奪し、植民地には原材料だけをつくらせて工業化をさせず、自国の産業を飛躍的に発展させたイギリスやフランスの「力の支配」とも違います。

くどいようですが、イスラムは商人の宗教です。相手の国をめちゃくちゃにしてしまっては、そこから税金も取れませんし、交易のための作物や商品もつくれません。それがわかっているからこそ、イスラムには、相手を完膚なきまで打ちのめす発想がありません。戦いにおいても、ある種の「公正」を基にするのです。

第3章

「見えない楽園」の力

イスラム復興運動はなぜ起きたのか

世界中のムスリム（イスラム教徒）の社会で、ムスリムとしての再覚醒が進んだのは1980年代のことです。後にイスラム復興運動と呼ばれることになりますが、その根底には、なんとか西欧世界を真似て国づくりをしてきたのに、どうして発展できないのだろう、どうして心の平安を得られないのだろうという疑問がありました。さらに積極的に西欧の諸価値観を取り入れていこうとした人もいましたが、多くのムスリムは、逆に、自分たちがイスラムの価値観を捨ててしまったことがいけなかったのではないかと考えるようになります。

政治運動に発展したイスラム復興は、しばしば過激化しました。イランで親欧米派の国王を追放してイスラムの国につくり替えるという革命が起き、エジプトのサダト大統領はイスラム過激派の将校に暗殺されました。

そのころからだったと思うのですが、ムスリム同士が、お互いに、おまえの信仰は不十分だ、もっとこうしなければダメだ、ということを盛んに言うようになります。支配者としての欧米とその価値観の体系を全否定することが、同胞としてのムスリムに対する踏み絵のようになってしまいました。

イスラムの論理を知らずに批判しても意味がない

それが極端な方向に進んだのが、アフガニスタンやイランの現状です。とくに、女性の権利や自立に関して、制約が多すぎることを私たちは知っています。それに対して、彼女たちが声をあげるのは当然ですが、このとき、私たち非ムスリムの側にも重大な問題があると思うのです。

イスラムの論理というものを知ったうえで、抑圧する側の人間への批判を展開するのならよいのですが、現状では、欧米諸国や日本で、そういう批判のできる人はごく限られています。新聞でもテレビでも、記者だけでなくコメンテーターと言われる人たちも、イスラムの論理を知らないまま、起きている悲惨な状況だけを批判します。抑圧者を非難するだけでは、当事者を助けることはできません。

ひどい状況にある女性を救うなら、まず、彼女たちにアサイラム（避難所）を提供しなければなりません。アフガニスタンやイランの抑圧された女性はいつでもいらっしゃいと、どの国が宣言したでしょうか。ドイツだけは、迫害を受けた人は、世界中のどこからでも庇護を請求する権利があると基本法（憲法）第16a条でうたっています。この条文は過去の反省に立っているのですが、今の世界では非常に重要な意味をもっています。しかしそのドイツも、2010年代にシリアからの難民が殺到して以来、受け入れを制限しています。

遠くから非難だけを続けても、抑圧する側は、それで心を改めたり、抑圧をやめたりしません。アメリカの謀略だ、西欧の陰謀だと言いたてて、一層、激しく迫害するだけのことです。

イスラムがどういう論理でできているのかを知ったうえで、抑圧する側に対して、それがイスラム的な観点から見ても間違っていることを冷静に指摘しないと、抑圧の緩和にはつながりません。

アフガニスタンで女子教育が停止（中止ではないことを祈るばかりです）されたことを批判するのであれば、いったいコーランやハディースのどこに女性は学んではならないと書かれているのかを、イスラム指導者たちに正面から問い続ける必要があります。

夫や親族以外の異性に肌を見せることを嫌うなら、あなたの母親や妻や娘が病気になったときに、治療を受けさせないつもりか。女性の医師が必要ではないのか。女性の薬剤師や保健師は必要ではないのか。女性の医師や薬剤師はどうしたら養成できるのか。中等教育（日本の中学・高校に該当）を受けなくて、いったいどうやって大学の医学部や薬学部に進学できるというのか。これらを否定するならその典拠を示せ、と迫るしかありません。

タリバンが統治者としてアフガニスタンを完全なイスラム国家にしたいなら、上から、ああしろ、これをするな、と押し付けるだけでなく、無理強いしないやり方を実践すべきなのです。

「無理強いは禁物」だというのは、コーランのなかでアッラー（神）が、幾度となく繰り返している言葉です。タリバンといえども、この言葉に逆らうことはできないはずです。タリバンに忖度《そんたく》する理由はないのであえて言いますと、同じムスリム同士で、やたらと、押し付けがましいことを言うのは、ダメなムスリムの典型でしょう。

しかし、「だからタリバンはダメなのだ」「だから欧米諸国の軍が駐留していた方がよかったのだ」というところに戻ってしまったら、事態はまったく改善しません。タリバンは、ふたたび、欧米諸国を侵略者、占領者とみなして無限の戦いに戻ってしまうだけです。アフガニスタンを二度と内戦に戻してはいけません。

ムスリムは他人のアイデンティティを問い質さない

イスラムは、本質的に他人の信仰に関心をもたない宗教です。自分の信仰を他人の信仰と比べることには意味がありません。一個人としてアッラーと向き合い、契約を交わして、ムスリムになるからです。そこには、他人の介在する余地はありません。そのため、他人が「何者」であるのかを、いちいち問い質す発想をもたないのです。

それでも、みながムスリムになって、イスラム社会が形成されると、どうしても、自分の方が他人より正しい信仰をもっている、とか、他人の信仰が自分より劣っている、とか言い出す人間が出てきます。タリバンが、ようやく実権を取り戻して意気込んでいるのはわかりますが、それだけでは、ムスリムはついてきません。

私自身、見ず知らずのムスリムから「おまえは何者だ？　おまえは何教徒だ？」と聞かれた経験はほとんどありません。何人《なにじん》だと聞かれることも、日本やヨーロッパに比べるとずっと少ないです。欧米のキリスト教徒からは、何度も尋ねられたことがあります。特定の信仰はもたないと返して、「君は背骨をもたないで、どうやって生きていられるのだ？」と畳みかけられたこともあります。大きなお世話です。

私はトルコ語を話します。中央アジアに行くと、現地の人にもトルコ語を話す人がいます。中央アジアの言語は、たいていトルコ語の仲間ですから、彼らがトルコで話されているトルコ語を使うのはいたって簡単です。

しかも、中央アジアには、顔つきが日本人に似ている人も多い。そこで、私がトルコ語と日本語を使っていると、相手は、私のことを「トルコ語ができる日本人」だとは思わずに、「日本語ができるトルコ人」だと思っていることがよくあります。

私には、これが気楽です。いちいち「おまえはどこの誰で、おまえの属する集団はなんだ？」と問われるのが鬱陶《うっとう》しいからです。アイデンティティ（民族的帰属や宗教的帰属、出身地）を問われない気楽さというものを、ムスリムとの付きあいのなかで学んだと言ってもよいでしょう。

ですから私も、出会った人のアイデンティティを尋ねません。尋ねることに、本当に意味があるのかどうか、考えてからにしてはどうでしょうか。そうでないと、ムスリムだからこうなのだ、キリスト教徒だからああなのだ、という単純な決めつけに引き寄せられていきます。

このことを最初に学んだのは、40年以上も前のシリア留学中のことでした。ダマスカスという都市は、それこそ、古代の多神教の時代から町があり、ユダヤ教徒が住み、初期のキリスト教徒が住み、後にムスリムも住むようになりました。

民族的にもアラブ人もいれば、クルド人もいるし、シャルカス（コーカサス）人、アルメニア人、ユダヤ人といろいろな人がいます。先住民を排除して入れ替わってきたのではなく、多くは、昔からここにいる人たちの子孫が層をなすように暮らしているのです。

この都市が交易都市、商業都市として3000年も繁栄を続けてきたのは、互いに相手が何者であるのかにこだわらない付きあいをしてきたからです。この共生を破壊したのが2010年代に起きた内戦でした。この話は後ですることにしましょう（第6章）。

相手を知る必要がないというのではありません。異文化を知ることは言うまでもなく大切です。とんでもない誤解をして相手を傷つけないために、相手を知る必要があります。しかし、どんなアイデンティティであっても、個人によって差があるのがあたりまえなのです。それを民族、宗教、宗派、出身地などで「ひと括り」にしてしまい、わかったつもりになるのは、対立や衝突を生むもとです。

アイデンティティにこだわって戦争を繰り返してきた西欧社会

日本人は、島国という閉じられた空間に生きてきましたから、日本人というアイデンティティを絶対視しやすいところがあります。そのため、外から入ってくる人間に対して、過剰に身構えがちです。

四方を海で囲まれた日本ではそれでよくても、隣国と地続きの大陸でアイデンティティを絶対視すると、即座に対立につながります。お互いに、宗教や民族のアイデンティティを強調しあって戦争を繰り返したのがヨーロッパです。

アイデンティティにこだわると、どうしても優劣をつけたがるようになります。優劣をつければ、争いを招きます。自分のアイデンティティを大事にすることは否定しませんが、アイデンティティというものが、しばしば対立や衝突の原因になってきたことに、よくよく注意すべきだと思います。

これからの世界では、言葉を理解してコミュニケーションが成り立つなら、それ以上は問わないという付きあい方があってもいいのではないでしょうか。相手の文化的背景を知っても、そこに立ち入ったり、自分との違いをぶつけたりするのをやめるのです。そうすれば、世界はずっと平和になるでしょう。平和な方が、楽しく、楽に生きられることは言うまでもありません。

今の日本では、ダイバーシティ（多様性）を受け入れることが大切だと言われます。私も異論はありませんが、ダイバーシティのもとにあるのは、他者との「相違点」です。違いを受け入れてくれるなら、それに越したことはありません。しかし、現実にはそれが難しい。それなら「そういう人もいるかもしれない、いたとして、だから何？」というところで止めておくのも一つの共生の知恵ではないでしょうか。

相違をクリアにするというのは、優れて西欧的な分析の視点だと思います。細部にわたって分析して、最小の要素（アイデンティティ）が何であるのかを突き止めたいという欲求は、物質の本質を明らかにしていくのと似ています。塩をナトリウムと塩素に分解して、もう一度合成すれば塩になります。しかし、人間を要素に分解してから組み立てることなどできませんし、たとえできても、同じ人間には戻りません。

安心感・幸福感の根底にあるのは家族

生きることには、苦しみがつきものです。

イスラムは、辛いときに、それを「福となす」発想をもつことを書いてきましたが、それを実感できる「場」が家族です。イスラムが結婚を奨励するのは、性欲で道を踏み外さないようにという意味もありますが、苦難を分かち合う家族の存在を重視するからでもあります。

　ムスリムの幸福感の根底には家族があります。家族の愛情は非常に深いし、関係が悪くないかぎり、夫婦、親子ともに絶大な信頼で結ばれています。トルコの統計によると、あらゆる年代で、既婚者の方が、未婚者よりも幸福の度合いが高いといいます。そして女性の方が男性よりも、幸福感が高い。さらに、年代を問わず、自分を不幸だと感じる人よりも、幸せだと感じる人がはっきり多いのです。

　経済も政治も難題山積のトルコという国で、高い幸福感を維持できるというのは、いったい、どういう精神構造なのだろうと考えてしまいます。この国とかかわって40年近くになりますが、個人の行動が世俗的（イスラムの諸規範を必ずしも実行しない）であろうと、敬虔であろうと、根底の倫理観がイスラムから来ていることは否定できないことに気づかされます。

　ここは、一神教にどっぷり浸かった社会と日本のように浸からなかった社会との違いです。日本の方が不道徳だというのではありません。実際には、イスラム社会の道徳と日本の道徳は、かなりの部分で共通しています。ムスリムの留学生たちからしばしば聞くことですが、彼らは、欧米の社会よりも日本社会に親近感を覚えるそうです。

　ただし、日本にはアッラーがいない。もちろんムスリムには存在するのですが、大半の日本人はムスリムではありませんから、アッラーがいないし、アッラーの示した「道」もありません。そのため、日本人は、何かの困難に直面すると、自分の頭で考えて答えを出さなければなりません。私自身も、コロナ禍で、それを嫌というほど味わいました。

すでに書いたように、ムスリムは、コロナ禍への対処にも答えをもっていました。やることをやったら、後は神にまかせてしまいます。だからこそ、大変な災厄に見舞われても、しばらくすると先を見据えて行動するようになれます。

正直なところ、私はムスリムの暑苦しい家族関係は苦手ですが、ゆるがない信頼というのは、何より安心の基であると思います。政府がダメでも家族がある。お金はなくても家族がある。この安心感と幸福感があれば、家族を増やそうと思えるでしょう。

もちろん、ムスリムの家族関係にも問題はいくらでもあります。いったん問題を抱えてしまうと、家族関係が濃密な分、とんでもなく拗《こじ》れるし、辛くなります。

そこでもイスラムは面白い発想をします。結婚というのは契約なのです。キリスト教のように、神の前で永遠の愛を誓ったりしません。人間同士の契約だから、破綻することも前提にしています。

破綻した場合にイスラムが教えるのは「公正」な離婚です。結婚するときには、男性が女性に婚資を払うのが原則です。これは、セックスの対価とも考えられるし、離婚した後に女性が生活できるよう資金をあらかじめ渡すことでもあります。いわば、慰謝料のデポジットです。イスラムではこのようにして、公正に離婚することで、家族をリセットすることを可能にしているのです。こういうルールがいつも機能しているとは思えませんが、対立が泥沼化するのを回避する道が、7世紀にすでに整えられているのは、やはり途方もない知恵だと思うのです。

来世を信じると、現世を生きる実感が湧いてくる

アメリカのピュー・リサーチ・センターという調査会社によると、どの宗教であっても、信仰心の篤い人ほど幸福感が高く、無神論の人は、信仰をもつ人よりも幸福感は低いという結果が出ています（https://www.pewresearch.org/religion/2019/01/31/religions-relationship-to-happiness-civic-engagement-and-health-around-the-world/）。

特定の信仰をもたない人（私もそうですが）にとっては、大きなお世話かもしれません。ただ、私もこのこと自体は否定できないように思います。この幸福感の背後には、来世の存在があります。一神教徒の場合は、とくにそうです。

特定の信仰をもたなくても善き人は、私のまわりにもいくらでもいます。そういう人が死後に、天国に行かないことなどありえないじゃないか、私はそう思っています。

仏教には極楽浄土があって、キリスト教には天国があって、イスラムには楽園があるといい

ます。しかし、善き人というのは、信仰にかかわらず存在するのであって、宗教や宗派ごとに来世で入れる天国がいちいち分かれているという発想は、現世のアイデンティティ論争と同じで、意味があるとは思えません。

ここで言う善き人とは、特定の信仰に従う場合を除けば、良心をもつ人と同義です。無神論者で良心をもつ人もいれば、キリスト教徒で良心をもつ人もいる。いずれかの宗教の信徒であっても、およそ良心のかけらもない人もいる。それを考えれば、天国に入れるのは、良心の持ち主である方が理に適っているはずです。

神が全能の存在であるならば、この世で信者になりますと宣誓した人だけが光を当てられるはずがない。あまねく人間界を照らしていなければ、むしろ神の全能性に傷がつくはずです。

だんだん人生の終わりが近づいてくると、来世はあると信じたくなります。死は誰にも平等に訪れるのですから、死後の世界、来世も平等に訪れてしかるべきです。とはいえ、来世でまで極悪人と同居する理由はなく、悪人には楽しくない来世があり、善人には楽しい来世が待っている――そのくらいは想定していてもいいじゃないかと思うのです。

その点で、コーランに出てくる楽園（天国）のイメージは明示的です。心地よくて、嫌なものの、不快なものが何もなく、労苦からも、悲嘆からも解放されるそうです。何度も登場しますが、いくつか紹介してみましょう。

それらの者、彼らには（楽園で）既知（定め）の糧がある。
（つまり）果物が。そして、彼らは厚遇される。
至福の楽園の中で。
寝台の上で向かい合って。
彼らには（酒の）泉からの酒杯が回される。
真っ白で、飲む者に美味である。
それには悪酔いはなく、彼らはそれに酩酊することもない。
そして彼らの許には円らな瞳で、ひたむきな眼差しの女たちがいる。
（作品社版『日亜対訳クルアーン』37章41〜48節）

まことに、畏れ身を守る者たちには成就（救済の成功）がある。
（つまり）いくつもの庭とぶどう畑、
そして同年齢の胸の丸く膨れた乙女たち、
そして満たされた酒杯（があり）、
そこでは彼らは戯れ言も（互いが）嘘つき呼ばわりすることも聞くことはない。

おまえの主からの報いとして（つまり）十分な賜物として。（『日亜対訳クルアーン』78章31～36節）

畏れ身を守る者たちに約束された楽園の喩えは、そこには腐ることのない水の川、味の変わることのない乳の川、飲む者に快い酒の川、純粋な蜜の川がある。また、彼らにはそこにあらゆる果実と彼らの主からの御赦しがある。（『日亜対訳クルアーン』47章15節）

ついでに、火獄（地獄）の様子もコーランから引いてみましょう。イスラムの地獄は、焦熱地獄として描かれます。


火獄《ジャハンナム》は待ち伏せしていた。

無法者たちのために（待ち伏せる）、帰り処であった。

彼らはそこに長々と留まって。

そこで彼らは涼しさを味わうことはなく、また飲み物を（味わうこともない）、
ただ、煮え湯と膿汁ばかりを（味わう）。（『日亜対訳クルアーン』78章21～25節）

正直に言って、私は、この楽園（天国）のイメージには惹かれません。火獄（地獄）の方は、

もちろん、想像するのも恐ろしいもので、嫌ですが。

飲んでも酔わない酒とか（よほど飲みたかったのでしょう）、愛らしい女性とか、完全に男性の目線で描かれていて、いまさら啓示を変えられないとはいえ、そんなところにいたいとは思いません。

しかし、現世での悩みや苦しみから解放された居場所としての楽園には、私も大いに惹かれます。

誰がそこに入るかは、最後の審判で、アッラーがその人の生前の善行と悪行を天秤にかけて決めます。ただ、アッラーは「できるだけ楽なことを求める」と自らコーランのなかで繰り返しています。「無理強いもしない」とも言います。絶対に守るべき一線を越えないかぎり、悪行は善行によって埋め合わせることが可能になっているのがイスラムの特色です。

ムスリムは、みな来世を信じ、そこで苦しみのない永遠の生を得られると信じています。この確信は、現世の苦しみを相対的に緩和しています。

見えない楽園から「生きている実感」を得ているところに、ムスリムの特徴が表れていると言ってもよいでしょう。

デジタル化が進む今の時代、欧米、日本、そしてイスラム世界でも同じ時代を生きています。みな、それぞれに、生きている実感をつかみたいと願います。現実に生きている世界での「生きている実感」は、私たちにとっては、それがすべてです。ところが、ムスリムにおいては、来世での楽園への期待と現実の世界を生きている実感が、敬虔の度が上がるにつれて一体化していくようです。来世の幸福への期待から、逆に現世での生きている実感を生き生きと味わうことができるのです。

この感覚は、大きな災厄に見舞われたときに、最も強く表れてきます。2023年の2月、トルコ南東部とシリア北西部を大地震が襲いました。両国での死者は5万人を超えました。これだけの甚大な被害の直後に、被災者がどうやってこの惨禍を乗り切っていくかをここで述べることはできませんが、イスラムのレジリエンスを発揮して、生活を再建していくと信じています。

第4章

イスラムは「遅れている」のか？

「分断」と「敵の創造」に突き進む西欧社会

コロナ禍の3年間、世界ではすさまじい勢いで分断が進みました。

村上陽一郎著『ペスト大流行　ヨーロッパ中世の崩壊』（岩波新書）には、14世紀のペスト大流行の際、ヨーロッパ各地で「キリスト教徒の敵」が感染症をもたらしたとされて、ユダヤ人がひどい迫害を受けたことが記されています（同141〜142ページ）。

中世の西欧キリスト教世界においては、感染症の拡大が敵を探しだして罰するという「分断」を顕在化させたのです。

そして、21世紀の今、西欧世界はまたしても同じ「分断」と「敵の創造」に突き進んでいないでしょうか。

コロナ禍のさなかに、ロシアがウクライナを侵略したことは文字通り世界を分断しました。直接、この戦争には関係していないものの、アメリカはロシアだけでなく、中国に対して批判を強め、是非はともかく、世界の分断の一方の当事者です。

侵略に関して言えば、ロシアに非があることは明らかです。中国は、香港を支配下に置いて民主化運動を弾圧し、新疆《しんきょう》ウイグル自治区ではウイグル人を迫害し、台湾に対する圧力を強めていますから、自由と民主主義を重視するアメリカが、敵対的になるのはわかります。

世界的なコロナ禍という、どの国においても、人びとの不安や苛立ちや怒りが鬱積《うっせき》している状況でロシアが戦争を起こし、中国は強さをアピールし、アメリカもまた力を誇示したことは記憶にとどめておく必要があります。

しかもそのアメリカ社会では、人種差別問題が厳しく問われる事態が起きました。黒人に対する暴力が原因で、BLM（ブラック・ライブズ・マター）という人種差別反対の運動が起きたのは、トランプ政権下でのコロナ禍のさなかでした。

それだけではありません。その後、バイデン政権に代わった後も、連邦最高裁が人工妊娠中絶を認めた判例を覆すなど、社会がインクルーシブ（なかに取り込んでいく）な方向ではなく、エクスクルーシブ（外へ排除する）な方向に進んでいて、分断を深刻にしています。

一方、イスラム社会には、災いのなかにあるときに敵を創り出そうという発想がありません。陰謀論を唱えるムスリム（イスラム教徒）はいくらでもいますが、イスラムそのものには、陰謀論の発想はありません。感染症が広がったからといって、人間社会の内部に「敵＝原因者」を求める発想がないのです。

これは大きなことだと思います。見た目が違いますので、イスラムが生まれた当時のアラビア半島でも、もちろん、人種の違いがあることはわかっていました。言葉が違うので、今で言う民族の違いがあることもわかっていました。

しかし、その違いを人間のあいだの優劣、上下に結びつける発想がイスラムにはありません。もちろん、現実の社会で人種や民族の差別はありますが、敬虔なムスリムになるほど、差別意識は消えていきます。

西欧文明のように、自分たちが先進的な文明世界で、他は遅れている、だから自分たちについてこいという意識はありません。

このように言うと、女性差別の問題はどうなのだ、ＬＧＢＴＱの人たちに対する差別はどうなのだ、という声が当然あがると思います。この問題は、あとで、具体的な事例を基に書いていきます。

西欧世界は、何世紀にもわたって、人間や社会のあいだに「進んでいるvs.遅れている」「優れているvs.劣っている」という分断をつくりだしては、他の世界を攻撃したり、支配したりしてきました。

そのことは歴史的事実です。そして、後になって少しずつ反省し、軌道修正しますが、必ず軌道修正した自分をほめて、変わっていない世界を見下します。これは、近代以降の西欧の「困った思考回路」です。

死刑もそうです。今のＥＵは死刑制度を廃止していますが、第二次世界大戦後も制度は残り、執行もしていました。フランスは、１９８１年になってようやく廃止、イギリスも１９９８年に制度を廃止しました。ＥＵで死刑廃止を決めたＥＵ基本権憲章が、リスボン条約の発効によって法的拘束力をもったのは２００９年のことです（調印は２０００２年）。

そうなると、今度は死刑制度を存続させている国への批判を始めます。「廃止」したことが「進歩」だと確信していますので、それを続けている国は「遅れて」おり、批判しなければいけないというのです。日本にも死刑制度が残っているので、刑が執行されるたびに、ＥＵは日本を非難してきました。

イスラムという宗教には「法」があります。日本でも知られるようになった「シャリーア」が法の体系のことですが、そこには死刑になる罪が出てきます。

最近では、同性愛者を死刑にするという問題に焦点が当てられています。この件も、後ほど具体的な問題から説明していきますが、イスラムの典拠となるコーランやハディースには、「同性間の愛」への言及はありません。

ここでは死刑の是非については論じませんが、ＥＵは人権思想発祥の地はヨーロッパだと胸を張って言います。私たちになじみの深い人権思想が西欧由来であることはわかりますが、20世紀を通じて、何千万人もの犠牲者を出す戦争を二度もやったのもヨーロッパです。そもそも、近代以降、世界の戦争の主役はヨーロッパで、それは、今でも続いています。

一方で人権を説き、他方で人を殺す西欧

EUは、ヨーロッパ連合という統合体としてものを言うときには、胸を張って人権擁護を主張するのですが、EU加盟国のなかには、同時に、NATO（北大西洋条約機構）という軍事同盟に加わっている国がたくさんあります。

EU加盟国の多くが、NATO軍の一員として2021年までアフガニスタンで戦闘任務についていたはずです。駐留するNATO軍によって殺害されてしまったアフガン人には、裁判を受ける権利どころか、人権すら認められていませんでした。

戦争と死刑は別だと言うのでしょうか。ただ、アフガン人がNATOに戦争をしてくれと頼んだのでしょうか。NATOがアフガニスタンに軍を派遣したのは、「9・11」という同時多発テロ事件に対するアメリカの報復に協力したためです。アフガン人がタリバンと戦ってほしいと頼んだからではありません。

しかし、アメリカによる報復は、いつの間にか、アフガニスタンを近代的で民主的な人権を守る国にするのだという話にすり替えられました。そして、20年にわたって駐留という名の占領を行い、抵抗するタリバンとの戦闘で多くの民間人を巻き添えにして命を奪ったのです。

それはNATO軍としての顔であって、EUとしての顔ではないと言うのでしょうか。しかし、西欧という世界の二つの顔であることは否定できません。

ヨーロッパの進歩思想の決定的な問題点はここにあります。自分たちの変化を進歩と信じて疑わない。非ヨーロッパ世界に対する力による支配を正当化し、非道な行為にも目をつぶってしまう。右手で握手しながら、左手では相手をひっぱたくようなものです。

同性愛や、婚姻外の性交渉、不倫についても同様のことが言えます。かつては西欧でも、キリスト教会の強い圧力のもとで、これらを罰してきました。これらに対する差別と蔑視が弱まってきたのは、ここ数十年のことです。

現在では、同性婚も認める方向にありますし、性自認を尊重することが基本的人権として意識されるようになりつつあります。婚姻外の性交渉や不倫で刑事罰を科されることもなくなりました。このこと自体は、西欧社会が多様性を認める方向に進んでいることを意味します。それを西欧自身にとっての「進歩」と理解したとしても、何ら問題ではありません。

西欧社会では、この動きに反対するキリスト教保守の動きも活発化していますから、両者は激しく非難しあっています。ただし、同じ西欧社会のなかでは、相手を力、とくに暴力で支配することはできません。そのことを了解しあったうえで、互いを批判し続けています。

ところが、相手がイスラム社会になると、とたんに、上から見下す蔑視があらわになります。

イスラム社会では同性愛への許容度が西欧社会よりも低いのは確かです。不倫の場合も同じです。時々、これらの問題で処刑されたり、集団で暴行されたりという事件が起きると、欧米のメディアからは囂々《ごうごう》たる非難の嵐が起きます。

西欧は、100年前とは変わった。10年前とは変わった。その変化が退行であるはずがない、進歩だ。だからおまえたちも進歩しろ。自分たちについてこい。ついてこないなら、力ずくで張り倒すぞ。西欧のイスラム世界に対する態度は、わかりやすく言うならこういうことです。

19世紀以来、「進歩」を確信してきた西欧は、中東・イスラム世界に対する態度を変えることなく、自分たちが進歩の末に到達した「普遍的価値」を執拗に押し付けようとしています。

その点において、欧米諸国が世界的なレベルで「多様性」に新たな価値を見出しているというのは嘘でしょう。彼らの社会に内在する多様性についてのみ、それを受け入れることに進歩を見ているだけです。

イスラムはユダヤ教・キリスト教を全否定しない

宗教同士の関係をイスラムはどう見てきたのでしょう。イスラムが誕生した7世紀、もちろん、一神教のキリスト教徒やユダヤ教徒がいることは知られていましたし、預言者ムハンマドのまわりには多神教徒もいました。

宗教には違いがあることを知っていても、自分たちの信じているものが一番上等だと考えるのが宗教というものの本質ですから、当然、ムスリムはイスラムが一番良いと考えます。

ただしここでも、「キリスト教から見たイスラム」と「イスラムから見たキリスト教」には違うところがあるのです。

一神教とは、神は一人だという宗教。ユダヤ教、キリスト教、イスラムという三つの一神教を考えると、神は同じでないと「一神教」が成り立ちません。

ここで大問題が起きます。先にできた一神教から見ると、後から別の一神教が出てきた場合、その宗教の神と自分たちの神が「同一」でないと神が二人いることになってしまう。しかし、どんな宗教だって自分たちの方が完全な宗教だと信じているわけですから、後発の方は偽物《にせもの》にしか見えません。

イエスが登場したときに、ユダヤ人は彼を偽物だとして罵り、十字架につけろとローマ総督のピラトに迫ります。同じように、キリスト教徒から見れば、6世紀も後になってアラビア半島の砂漠に、別の一神教が誕生したと聞いても、そんなものは偽物以外の何ものでもなかったはずです。

ところが、後からできた方は、先輩の一神教を全否定しません。

一神教の場合、神は超越的な存在ですが、必ず、人間（信者）にメッセージ（啓示）を発します。それを受け取った人（誰でも受け取れるわけではありません）が、預言者になります。未来を当てる「予言者」ではありません。神の言葉を預かった人という意味での「預言者」です。

後発の一神教から見て、先輩の一神教を偽物にすることができないのは、神のメッセージはいつでも本物だということにしないと矛盾が起きるからです。絶対者であるはずの神が、モーセやイエスに偽りのメッセージを与えたことになってしまいます。そうすると、新旧の一神教のあいだで、「どちらが本物か」という不毛な論争が続くことになります。

神というのは、無謬《むびゅう》の存在でないと宗教は成り立ちません。神様も間違えるからイエスに与えたメッセージは出鱈目《でたらめ》だった、ということにはならないのです。話は逆で、神は絶対者ですから、イエスにも正しいメッセージを残した。さかのぼって、モーセにも正しいメッセージを残した、そして最後にムハンマドにメッセージを残したのです。

ユダヤ教徒もキリスト教徒も神の使い（使徒・預言者）であるモーセやイエスの教えを受け取ってユダヤ教徒、キリスト教徒になりました。しかし、後になって、そのメッセージの一部を誤って解釈した（神様が間違えたんじゃない）とイスラムは言います。ユダヤ教徒が間違えたのは、自分たちの民族が神によって「選ばれた」と考えたこと、キリスト教徒の間違いは「父と子と聖霊の三位を一体」とし、イエスを神の子にしてしまったことだと言います。

こうして、神（アッラー）はムハンマドに新しいメッセージを下された。このメッセージこそ、最後で、最高のメッセージだ。これがイスラムから見たキリスト教観、ユダヤ教観です。

ですから、イスラムでは、ムハンマドに先立つ預言者たちに下された啓示も、もちろん正しい啓示として扱います。その啓示を書物にしたもの、つまり、新約聖書も旧約聖書も「聖典」として敬意を払います。そのなかで、コーランこそ、至高の啓示を書き記した聖典だというのがイスラムの理解です。

キリスト教にとってイスラムはずっと「邪教」

ユダヤ教がユダヤ人のための宗教だったのに対して、キリスト教は特定の民族のためのものではなく、世界宗教になりました。それはよかったのですが、後にキリスト教徒は「国家」というもののなかに教会を閉じ込めてしまいます。

そのため、フランスにはフランスの教会があり、ドイツの場合には、各地方に教会があってその地方の領主と結びつきました。典型的なのはイギリスで、イングランドの教会が国教会となります。こうなってしまうと、せっかく世界宗教として成立しても、結局、国家ごとに分断されてしまいます。

カトリックは、いまだにバチカンの教皇庁の下にありますが、バチカンは昔のような各国の政府より強い力をもってはいません。

キリスト教とイスラムの関係を見てみましょう。キリスト教徒の側は、自分たちの神がイスラムの神（アッラー）と同じとは認めません。イエスが福音を伝えてから600年もたって、別の「神の使徒」がアラビア半島に登場しても、「では、その人の話も聞いてみよう」などとは絶対に考えません。

キリスト教にとって、イスラムは最初から「邪教」だったのです。このイスラム観は、中世の十字軍の時代から現代まで変わりません。19世紀から20世紀の前半まで、キリスト教が優勢だった西欧世界は、産業でも経済でも圧倒的な力をもって世界を支配し、イスラム世界の大半を植民地にしていきました。過去2世紀ぐらいのあいだ、西欧は、イスラム世界に対する自分たちの絶対的優位を信じて疑いませんでした。

第一次世界大戦期に蒔かれた「暴力の種」

日本では、第一次世界大戦と言うとヨーロッパでの戦争が知られていますが、イスラム世界から見ると、あの戦争は、最後のイスラム帝国だったオスマン帝国が、イギリスやフランスに敗北した戦争でした。その前に、北アフリカはフランスに、インドはイギリスに支配されていましたので、第一次世界大戦で、ヨーロッパは完全にイスラム世界を打ちのめしたことになります。

ここで一つ覚えておいてほしいのは、アフリカから中東、そしてアジアにかけてのイスラム社会にとって、重要な意味をもつのは第一次世界大戦だったということです。

私たち日本人にとっては、どうしても、第二次世界大戦とその後が決定的な意味をもつので、第一次世界大戦のことを軽視しがちです。一方、イスラム世界にとっては、現在まで続く暴力の種は、ほとんど第一次世界大戦期に蒔《ま》かれたものなのです。パレスチナ問題、民族問題、国境紛争、すべてがそうです。

第二次世界大戦後、ヨーロッパの植民地だったイスラム世界は相次いで独立していきました。しかしその後も、ヨーロッパは、アフリカにせよ中東にせよ、イスラム世界を見下していました。イスラムが脅威になるとは考えもしなかったでしょう。

1960年代になると、中東（北アフリカも含む）、アフリカ、南アジアの貧しい国々から、先進国ヨーロッパにムスリムの労働移民が流れ込みます。

当時、第二次世界大戦で疲弊しきったヨーロッパ諸国では若い労働力が足りませんでしたので、貧しい国から来る移民たちは歓迎されました。単なる労働力でしたから、彼らが、どんな宗教の信徒であるのかに、ヨーロッパ社会は関心をもっていませんでした。そして彼らの多くは、そのままヨーロッパに定住して現在にいたります。ドイツやオーストリアのトルコ人、フランスのアルジェリア人、モロッコ人、チュニジア人、イギリスのパキスタン人やバングラデシュ人などです。

ムスリムが初めて隣人として登場したのですが、ヨーロッパ社会の方は、それでもムスリムがどんな人なのか、関心もなく、知ることもありませんでした。そこに、アメリカで、世界を震撼させる2001年9月11日のテロ事件が起きたのです。その後、テロはヨーロッパでも起きます。

一連のテロは、ムスリムの過激な人たちが起こしたことに間違いありませんが、それはキリスト教徒に対する憎悪からではありません。何世紀にもわたって、イスラム世界を暴力的に支配しようとした「西欧」、具体的にはアメリカやフランス、そしてイギリスなどの欧米諸国に対する憎悪が暴走したものでした。

しかし、西欧の側は、イスラム世界に対しても、ムスリムに対しても、悪いことをしてきたという自覚はありません。植民地支配でさえ、遅れていた彼らを啓蒙してやったと思っている人が、決して少なくありません。そのため、ヨーロッパでもアメリカでも、ムスリムはキリスト教徒を憎んでいるのだ、彼らはキリスト教の敵だという思い込みが、かなり広く共有されました。

十字軍は、キリスト教の聖地エルサレムが、当時イスラム王朝の支配下にあったことを理由に、聖地を奪回するためという理屈で起こされました。ずっと後の19世紀になると、バルカン半島や中東のキリスト教徒が、イスラム国家のオスマン帝国に支配され苦しんでいるから、解放のためにオスマン帝国をつぶさなければいけないと主張するようになります。結局、オスマン帝国は第一次世界大戦で敗北して消滅しました。

第一次世界大戦は、ヨーロッパ列強が中東地域を植民地化するための戦争だったのですが、その狙いを隠すために、イギリスもフランスも「残忍なイスラム教徒に支配された哀れなキリスト教徒を解放するための戦争」だと主張しました。

今でもこの感覚は残っています。ムスリムの側は、宗教の違いを理由に西欧を嫌ったわけではないのに、キリスト教西欧の側にとっては、宗教の違いのせいだとした方が好都合だったのです。

イスラム過激派の暴力が、反帝国主義、反植民地主義の戦いの延長線上に起きたと理解した人はもちろんいました。しかし、それを認めると、過去の植民地支配に対する賠償問題や謝罪の要求が際限なく出てくることになります。それを避けるには、キリスト教やユダヤ教に対する憎悪に落とし込んでしまう方が都合がよかったのです。

宗教から離れることを「進歩」だと確信する人びと

ただし、差別・嫌悪の理由はそれだけではありません。今の西欧に、キリスト教から離れて世俗的な価値観のなかに生きる人はいくらでもいます。政治的には左派と呼ばれる人たちや、リベラルと呼ばれる人たちです。彼らにとって、宗教は大切なものではありません。無神論の人も多くいます。

彼らは、宗教が違うからムスリムを差別するのではありません。では、イスラム世界とのあいだに分断をつくることはなかったかと言うと、彼らもまた、イスラムに対して激しい嫌悪を向けます。

西欧社会でキリスト教から離れるのは、実は、相当に大変なことでした。個人や社会の道徳の基になっている宗教を捨てることになるからです。

しかし、宗教から離れた人たちは、離れることを「進歩」だと確信しています。これも西欧社会に特徴的な考え方です。宗教と科学の関係を考えるとすぐにわかります。彼らは科学の進歩に神はいらないと気づいてしまったのです。

個人の自由も、いちいちキリスト教の教えに従っていたら、なかなか手に入れられないものです。とくに、セックスに関することなどその典型です。キリスト教会は、ずっと婚姻外のセックスを禁じてきましたし、中絶も禁止、同性愛も長らく犯罪扱いしてきました。

そんなのはおかしいと、さまざまな人が声をあげていきますが、教会の壁を崩すことは容易ではありませんでした。そこで、教会をつくり替えようとするのをやめ、教会に縛られるのを嫌って出て行ってしまったのです。こうして、結果的にキリスト教という宗教からも離れていくことになります。

「進歩的」という表現は、日本でもよく使います。西欧社会における「進歩」は、個人の自由を制約してきた教会に対する反発から生まれました。教会だけでなく、キリスト教の規範から自由になることから、「進歩」は始まったと考えるようになります。

それを支えたのが、一つは市民が主権をもつという考え方であり、もう一つは科学の発展でした。個人の自由を核とする基本的人権の考え方も、ほとんどは教会に縛られていたら実現できなかったものです。このような動きを総合的に言い表したのが、「啓蒙」です。

イスラムには「聖」と「俗」を分ける発想がない

こうして宗教から離れる人は、西欧社会のなかで近代化とともに大きな勢力になっていきます。

彼らにとって近代化とは、「進歩」です。ですから、彼らは信仰心の篤い人たちを「遅れた人」と思うようになります。そこから差別感情が生まれます。宗教から離れる人は増え続け、もうそれが歴史の流れだということになっていきます。

信仰者の方も、自分たちに干渉しないでいてくれるなら、それでいいというところで落ち着いていきました。今のヨーロッパ社会にも、クリスマスやイースター（復活祭）を祝い、キリストの受難を深い悲しみとともに過ごす人はいます。カトリックの信徒たちは、守護聖人や聖母マリアに願いをかけ、蠟燭を灯します。個人の信仰は、どの国でも信教の自由として認められていますから、何の問題もありません。

個人の信仰とその実践は自由ですが、キリスト教会が政治を左右することはありません。かつてヨーロッパでは、カトリック教会の頂点に立つローマ教皇が政治的な力をもっていました。しかし、近代化の過程で、政治的権力は世俗的な王や大統領に移り、国民が主権をもつという考え方が浸透しました。

つまり、宗教（教会）は政治的権力から切り離されたのです。これを「政教分離」と言います。もう一歩進めると、国家（権力）は教会（宗教）から離れて中立的でなくてはいけないということになります。これを「世俗主義」と言います。日本では「政教分離」、すなわち政治と宗教の分離という言い方が一般的ですが、もともと西欧では「国家と教会の分離」でした。

ただし、国家と教会をどの程度まで分離するか、そこのところは、実は、欧米諸国を見ても、かなり差があります。一番明確に、厳しく切り離したのはフランスです。逆に、最も緩やかなのはドイツやイギリスです。

ここが、ムスリムがなぜ西欧で嫌われるのかを考えるときの焦点となります。ムスリムは、この世俗主義、すなわち国家と教会の分離ということを理解できません。

その理由の一つは、イスラムにはカトリックのような教会組織がないということです。教会を構成する位階のある聖職者もいません。国家から「教会」を切り離しなさいというのが世俗主義の基ですから、「教会」をもっていないムスリムは、国家から何を切り離せと言われているのかがわからないのです。

ピラミッド型の教会組織がないので、その頂点に立つ教皇もいません。カトリックでは、教皇は神の代理人になりますが、イスラムにはそのような人はいません。

ムスリムに聞いてみればすぐにわかることですが、イスラムに教皇はいません。代わりに、全ムスリムを統率するカリフという地位はあります。ところが、このカリフという地位は、1924年まではオスマン帝国に残っていたのですが、オスマン帝国の滅亡とともに消えてしまいました。

カリフとは神の使徒の代理人、つまりムハンマドの代理人ですから、存在してくれれば、すべてのムスリムを統率する地位となります。現在は空位なのですが、タリバン政権のアフガニスタンのように、ピュアなイスラムの国家としてやっていくと宣言している国では、リーダーがアミール・アル・ムーミニーン（イスラム信徒の長）を名乗ります。本来はカリフと同じ意味をもつ称号です。

マスコミでは、「イスラム聖職者」と呼ばれる人が登場することがありますが、あれも間違いです。キリスト教のカトリックでは聖職者がいますが、彼らは現世の欲望を断って（本当に断っているかどうかは知りませんが）神に仕え、神に代わって、たとえば告解で「赦し」を与えるから「聖職者」と呼ばれます。

しかし、イスラムにそういう人はいません。いるのは、「イスラムの先生」です。イスラムについて豊富な学識をもつ人という意味ですから、イスラム学者です。アラビア語ではウラマーと言います。先生なので、別に欲望を断つ必要はありません。神に成り代わって人に赦しを与えることもできません。あくまで、先生ですから、ただの人間です。イスラムで禁じられた行為をした人に、イスラムの法解釈に従って、裁定（判決）を下すことはできます。そういう人を「イスラム法学者」と言うこともあります。

ムスリムが世俗主義を理解できないのは、教会組織をもたないからだけではありません。より根本的な理由として、そもそもイスラムには「聖」と「俗」を分ける発想そのものがないからです。これを「聖俗不可分」と言います。

超越的絶対者であるアッラーは、森羅万象を照らしているわけですから、人間社会の一部に「俗」な領域、つまり宗教から離れた領域を設定することができないということです。ムスリムにとっては、アッラーの意志が及ばない領域など考えられないでしょう。

世俗主義（政教分離もその一部です）とは、人間がつくる社会や国家のなかの「公」の領域には「アッラーは手を突っ込むな」ということですから、そのようなイデオロギーとイスラムは両立しません。

実際は、イスラム圏の国家のほとんどは世俗主義

しかし、それはイスラムという宗教の本義の話であって、現実に今生きているムスリムが、世俗主義を拒否しているかと言えば、そうではありません。

近代西欧のつくりあげた国家システムというものは、世界を支配しています。19世紀以来、圧倒的な力で世界を席巻《せっけん》しました。中東でも他のイスラム圏でも、現状の国家のほとんどは、世俗主義を受け入れています。

もし、受け入れないで、イスラム通りに国をつくるとすると、2021年8月以来のタリバン政権のアフガニスタンがそうですが、すべての法体系をイスラムに従わせなければなりません。

アフガニスタンは、過去20年、アメリカの事実上の占領下で国家に世俗主義を導入してきましたから、法の体系をイスラムに戻すのは容易なことではありません。世俗的なルールに慣れてしまうと、その方が暮らしやすいと感じる人は、ムスリムのあいだにも多いからです。

ムスリムは西欧世界が「国家」と「教会」を分離したことは知っています。もはやキリスト

教の規範が社会を縛れない、つまり「聖俗分離」の世界だということも知っています。しかし、西欧がイスラム世界に対して、おまえたちも両者を分離しないと進歩できないぞと主張しても、そこは受け入れられません。

それは先程も述べたように、第一に、教会のないイスラムには、国家から何を分離しろと言っているのか、理解できないからです。そして第二に、イスラムは信徒一人ひとりの行動の規範になっていて、公の場であろうと、私的な場であろうと、すべてをカバーします。たとえ、国が政教分離を受け入れても、個人としてのムスリムは、信仰はプライベートな空間だけにしようという発想をもちにくいのです。

他方、ムスリムがアフガニスタンのタリバン政権やイランのイスラム体制を支持するかと言えば、それもなかなか難しいことです。為政者は、国を一度、イスラムに則った体制や法体系にしてしまうと、タリバンやイランのように、上から力ずくで個人の自由を奪い、民主主義を否定します。個人の自由も民主主義も、もとは西欧由来のものですが、これらはすでに、ムスリムのあいだにも、広く、深く浸透していますから、それらを捨てるよう求めても、ムスリムは簡単にはついてこないのです。

シャルリー・エブドはなぜ襲撃されたのか

ムスリムは、自分たちが西欧と違うことは知っていますが、それを理由に西欧を憎むことはありません。

それなら、なぜ、フランスの風刺画新聞シャルリー・エブドは襲撃されたのか、アメリカやヨーロッパでのテロはどう説明をつけるのか、という疑問が当然生じてきます。

ムスリムは相手がキリスト教徒だからといって恨みを抱いたり嫌悪を募らせたりするわけではないことはすでに書きました。同時に、圧倒的な力でイスラム世界を支配してきた「西欧」という存在に対しては、強い敵意を抱いていることも指摘しました。

西欧が、イスラムの信仰を侮辱した場合には、激しい暴力的反発が起きます。シャルリー・エブドの襲撃は、「表現の自由」に対する暴力事件でした。

シャルリー・エブドは、ありとあらゆる権力者を風刺することで知られる週刊新聞です。神でもイエスでも聖職者でも、王様でも大統領でも痛快に嗤《わら》い飛ばしてきました。フランスでは、人種差別的な内容はアウトですが、宗教や政治に関して、表現活動にはほぼ何の制約もありません。

信者から見れば冒瀆《ぼうとく》であっても、表現の自由として許されます。この風刺画新聞は、ムハンマドとイスラムを何度も嗤いものにしてきました。ムハンマドを性的に侮辱するもの、コーランなんて何の役にも立たないと聖典を侮辱するものもありました。

一つ付け加えておきますが、風刺や侮辱が、オサマ・ビン・ラディンやハメネイ師やタリバンに向けられている分には、ムスリムに激しい反発を引き起こしません。実際、シャルリー・エブドは、何度も実在のイスラム指導者や過激派を揶揄《やゆ》していますが、問題は起きませんでした。問題は、神の使徒であり預言者であるムハンマドを侮辱したことにあるのです。

２０１５年の1月7日には、シャルリー・エブドの編集部がイスラム過激派に襲撃され12人が犠牲になりました。さらに、２０２０年の10月16日には、同紙が掲載した預言者ムハンマドの風刺画を授業で生徒に見せたとされる中学校教師が、生徒の家族によるＳＮＳ投稿を見た男性に刺殺される事件が起きています。

編集部が襲撃された後、世界各国の指導者がパリに集まり、追悼のデモ行進が行われました。「私はシャルリー」が、表現の自由を守ろうとする側のスローガンになりました。世界中で、シャルリー・エブドが表現の自由の象徴であるかのように持ち上げられました。

中学校教師殺害事件の後、マクロン大統領は、フランスには「瀆神の権利」がある、いかなる宗教上の人物であっても風刺や冒瀆の対象としてよいと断言しました。彼は、中学校教師殺害事件に先立つ10月2日、イスラムは世界中で問題だらけの宗教だと発言していました。これは世界のムスリムから激しい反発を受け、いくつかの国ではフランス製品のボイコットにまで発展しました。

凶悪なムスリムを非難するだけなら問題はありません。悪い人間なら、ムスリムにも、キリスト教徒にも仏教徒にも無宗教者にもいますから、ムスリムは何も反応しません。

しかし、「イスラム」という宗教全体を否定するようなことを言われたら激しく怒ります。アッラーの啓示を書物にしたコーランを汚すようなことをする場合も、同じ反応を引き起こします。イスラムを創始したムハンマドへの侮辱も、信徒の全存在を否定することになります。

信仰の危機に対して、イスラムはすべての信徒に「ジハード」を求めます。ジハードとは、信徒の共同体を防衛するための戦いのことです。いったんスイッチが入ってしまうと、ジハードの動きは止められません。それでも、ムスリムのほとんどは、生活がありますから、戦いには乗り出しません。テロを起こしてその場で警察に射殺されると、過激派は殉教だと称《たた》えますが、家族は悲嘆にくれるだけです。どんなに怒っても、行動には出ない人が圧倒的多数です。

マクロン大統領は、ムスリムの神経を逆なでする発言を繰り返してきました。フランスのムスリムが、フランス共和国という国の原理・原則を無視して、国のなかに別の「国」をつくろうとしていると批判し、このような分離主義の動き、そして暴力で自分たちの主張を押し通そうとする過激派の侵略は許さないと、断言してきました。

暴力をふるう過激派については、その通りだと私も思いますが、フランスに背を向けるムスリムには居場所を与えないというマクロンの姿勢には、過剰な敵意と憎悪を感じます。実際、大統領が言う「過激な分離主義者」には、単に公的な場でヒジャーブを着けるムスリム女性も含まれています。

この問題は、あとで別の角度から考えることにしますが、フランスは公の場でのヒジャーブ着用を禁止しています。それに従わない人は過激派でフランスからの分離主義者だということで、処罰の対象となります。

女性のヒジャーブは、イスラムの教えに従うものですが、羞恥心の対象となる部位を隠しています。宗教の教えに基づいて、本人にとって羞恥心の対象になるところを隠す人を過激派・分離主義者呼ばわりするのは、国が公然とセクハラをするようなものです。

繰り返されてきた「悪意の挑発」

西欧世界側の人も、人種や民族に対する差別・攻撃である、レイシズムやヘイトクライム（憎悪犯罪）は許してこなかったはずです。そんなことを公然とやり続ければ、暴動に発展しますし、そのときには流血の惨事が起きます。そういうことは過去に何度も繰り返されてきました。

そうしたときに、暴動を起こした側だけを責めたでしょうか。「そんなことを言われたら、誰でも激怒する」と納得する人の方が多いはずです。

それなのに、その人の信じる宗教が侮辱されたときは笑って済ませというのは無理があります。信仰の度合いにもよりますが、真剣な信者にとって、信仰は民族や人種などの属性と同じで、変えられるものではないのです。

フランスでは、宗教から離れることを「進歩」と思い込んでいるから、そういうことが許されるのですが、信仰のなかに生きている人にとっては、人間性を否定されるのと同じことです。多くのムスリムは、タリバンのアフガニスタンやイスラム体制のイランのようなところで生きたいとは考えていません。ある程度まで世俗的な生活をしている人はいくらでもいますし、表現や信教の自由が必要なことにも異論を唱えません。

しかし、西欧社会の側から、こういう疎外と悪意の挑発が繰り返されるなら、世俗的な生活になじんできたムスリムを、よりイスラムの方向に引き寄せることになります。そんなに馬鹿にするなら、自分たちもイスラムで力をつけよう、ということです。これが、多くの若者にとっての、「ジハード」の意味なのです。

もう一つの問題は、西欧社会の側が、自分たちは正しいと主張しつつ、イスラムに対して「悪意の挑発」を繰り返しているということです。暴力的には反応しないムスリムも、シャルリー・エブドの風刺画は「悪意の挑発」だと受け取っています。

売り言葉に買い言葉で言うなら、あっちがムハンマドを侮辱するなら、こっちもキリストを侮辱してやる、ということになりそうですが、ムスリムは、それをしません。

イスラムでは、イエスもマリアも、モーセもダビデも、みなムハンマドに先立つ預言者なのですから敬意をもっています。ですから、彼らを侮辱するようなことはしません。

私は、ムスリムを激怒させたシャルリー・エブドの「風刺画」を見ました。神や預言者、そして聖典コーランを冒瀆することなど、ありえないと確信しているムスリムにとっては、それは、ひどくひどく下品で、どこが風刺なのかわからないものがほとんどです。私から見ても、ひどく下品で、どこが風刺なのかわからないものがほとんどです。

相手が「悪意の挑発」だと確信する表現を「表現の自由」の名のもとに「認めろ」と言っても、何の意味もありません。暴力に訴えたムスリムは法の裁きを受けなければなりません。では、彼らを暴力に走らせた欧米社会のメディアや政治家たちの発言は、その責任を問われないのでしょうか。それが「表現の自由」なのでしょうか。

タリバンはなぜバーミヤンの大仏を破壊したのか

「風刺画」とは、「絵」です。ムスリムは宗教画を描きません。ムスリムにも画家はいますが、宗教画は存在しません。アッラーはもちろんのこと、ムハンマドを描くことなど考えもしません。

イスラムが偶像崇拝を禁止していることは、ご存じの方が多いでしょう。モスクに行っても、ムハンマドの彫像や絵画はありません。人間が描いたところで、その姿が本物に似ているかどうか、誰にもわからないからです。真の姿かどうかわからないものを拝んでも何の意味もありません。「ならば描くな」ということです。

シーア派だけは、わりとその抵抗が少なくて、シーア派の人たちが独自に崇敬するアリやフセインを描くことがあります。しかしここでは、一般論として描かないということを知っておくだけで十分です。

ですから、ムスリムは他人の宗教の偶像には、もともと関心がないのです。この話をすると、必ず、「2001年3月、タリバンがバーミヤンの大仏を破壊した件はどうなんだ。仏像は偶像で、偶像を拝むことを禁じるイスラムの過激派だから、あんな野蛮なことをしたんじゃないか」と言われます。

しかし、当時、日本でも大勢を占めたこの意見に、私は素直にうなずくことができませんでした。確かに、タリバンの最高指導者が破壊を命じたのですから、破壊の責任はタリバンにあります。

その一方で、多くのアフガンの人びとが内戦や干ばつで飢餓に見舞われているときに、欧米諸国や日本は仏教遺跡の保存には熱心でしたが、本当に困っている人たちには関心を向けませんでした。欧米諸国は、タリバンはイスラム過激派で人びとを苦しめていると批判を続け、国連もタリバンに対して制裁を科しました。

タリバンの圧政を批判したことが間違っているとは私も思いません。しかし、激しい内戦状態は、タリバンだけがつくりだしたものではありません。タリバンが力をもつ以前に、さまざまな部族や軍閥が支配権を握ろうと、ずいぶんひどいことをしていました。国民は疲弊のどん底にありました。タリバンは、そこに厳格なイスラムのルールを持ち込むことで秩序を回復し、軍閥の暴力に苦しんできた人びとに支持されたのです。

大仏破壊は、そういうなかで起きた事件でした。タリバンから見れば、欧米は、いったいなぜ人間より大仏が大事だと主張するのか、理解できなかったはずです。それでも、欧米や日本社会の多くは、世界的な文化遺産を破壊するとは、なんと野蛮な連中だと非難し続けました。

ただ、それは単純に文化遺産を軽視することへの批判だけではなかったことにも注意が必要です。冷戦の末期、アメリカやパキスタンは、アフガニスタンに侵攻したソ連と戦うためにタリバンを支援しました。アメリカにしてみれば、「魔物」をつくりだした責任の一端を自分たちが担っているとは認めたくありません。そこで、タリバンの過激さは、彼ら自身の信仰、すなわちイスラムの問題だと強く主張することになったのです。

偶像崇拝の禁止は、イスラムの信徒が、イスラムの預言者や指導者の像を拝むことへの禁止であって、他人の宗教が何を描こうが、何を拝もうが、ムスリムは関心をもちません。平時なら、タリバンも関心をもたなかったでしょう。タリバンがバーミヤンの大仏に敵意を向けたとすれば、政治的な状況がそうさせたのです。

第5章

イスラム世界とウクライナ戦争

アフガニスタンにおけるアメリカ・NATOの敗北

２０２２年の2月24日、ロシアがウクライナに侵攻し、戦争になりました。侵略の原因は、専門家がいろいろ解説してきました。ここでは、違う角度から話を始めたいと思います。

それは、前年の２０２１年8月に復権したアフガニスタンのタリバンです。アフガニスタンは、１９７９年から89年までの10年間、ソ連（今のロシア）に侵略されました。これに対して、ムジャーヒディーンと呼ばれた勢力が果敢に抵抗を続け、ついにソ連軍を撤退に追い込みました。その後まもなく、ソ連は崩壊します。今のタリバンの基をつくった人たちも、抵抗運動に加わっていました。

その後、いくつもの部族や軍閥が激しい覇権争いを続け、国は荒廃しました。そのなかで、タリバンがイスラムに従った統治で住民の信頼を得て、１９９０年代の半ばに一度政権を取ります。しかし、荒廃した社会を厳格なイスラムのルールで立て直そうとしたために、非常に厳しくムスリム（イスラム教徒）を縛ってしまいました。過酷な支配に国民の心は離れ、欧米諸国は、タリバンを認めませんでした。

それから5年ほどして、９・11同時多発テロがアメリカを襲います。タリバンがオサマ・ビン・ラディンとアルカイダを匿《かくま》っていたという理由で、アメリカとＮＡＴＯ軍がアフガニスタ

膵臓がんの何が怖いのか
早期発見から診断、最新治療まで

本田五郎

5年生存率が8・5％と低く、他のがんと比べてタチが悪い膵臓がん。がん細胞が周囲の組織や臓器に染み込むように速く広がるので手術も難しい。だが最近では超早期に治療すれば5年生存率90％超という成績もあり、いかに早く見つけるかが生死を決める鍵になる。初期症状、検査法、化学療法やロボット手術などを、膵臓がんのエキスパートがわかりやすく解説。

●1034円

関東大震災
その100年の呪縛

畑中章宏

関東大震災（大正12年／1923年）は、実は人々に過去への郷愁や土地への愛着を呼び起こす契機となった。その保守的な情動は大衆ナショナリズムを生み、戦争へ続く軍国主義に結びつく。また大震災の経験は、合理的な対策に向かわず、自然災害への無力感を〈精神の復興〉にすりかえる最初の例となった。気鋭の民俗学者が震災後100年の歴史とともにその精神に迫る。

●1034円

映画女優《ヒロイン》のつくり方

行定　勲

デビュー以来25年に亘って映画史に名を刻む作品を撮り続けてきた映画監督・行定勲。綾瀬はるか、沢尻エリカ、竹内結子、長澤まさみ、薬師丸ひろ子、吉永小百合……日本を代表する女優たちについて、撮影時の知られざるエピソードとともに語り尽くした女優論、女性論、そして映画論。監督の企みと女優の意志が交錯する、ヒロイン誕生までの、駆け引きと闘いのすべて。

●990円

ンに侵攻します。そして20年間、アフガニスタンをつくり替えようとしましたが、タリバンは頑強に抵抗を続け、ついに2021年8月15日、首都カブールは陥落し、8月末までにアメリカとNATOは撤退に追い込まれました。

日本政府の対応もマスメディアの報道も、アメリカが撤退したことでアフガニスタンに悲劇が訪れたというトーン一辺倒でした。

しかし、アメリカはタリバンに敗北したのです。タリバンは、完全にイスラムに従って統治すると一貫して言い続けていたのですから、タリバンの復活を認めないというのなら、アメリカもNATOも撤退してはいけなかったのです。

アメリカは、あれだけ最新の兵器を使いながら、戦闘機はおろかヘリコプターももたないタリバンに負けてしまった。欧米諸国は、認めたくなかったでしょう。そこで、こぞってタリバンを批判し続け、アフガニスタンの国外資産を凍結し、国際承認もしませんでした。

それを横目で見ていたのはロシアです。自分たちの前身、ソ連も当時の最新兵器を持ち込んで戦いましたが、ムジャーヒディーンに敗れました。

ムジャーヒディーンというのは、ジハードの戦士の意味です。ムジャーヒディーンのなかには、現在のタリバンもいました。9・11同時多発テロの実行犯となるアルカイダのメンバーもいました。

ロシアからすれば、２０２１年8月の撤退は、アメリカとＮＡＴＯの弱体化を示すものでした。かつてソ連自身がそうだったわけですから。そこで、今ウクライナに侵攻しても、アメリカもＮＡＴＯも、反撃できないとたかを括ったのかもしれません。

アメリカとＮＡＴＯがアフガニスタンから撤退したら、今度はロシアがウクライナを侵略した。この流れで世界を見ると、日本の報道とはまったく違う構図が見えてきます。

ウクライナ戦争は西欧の争いにすぎない

イスラム世界は、ウクライナ戦争を西欧世界の内部の争いと見ています。ウクライナ戦争でも、アメリカは自由と民主主義というリベラル・デモクラシーの価値を前面に押し出して、ロシアを「悪」として非難し、ウクライナに軍事支援を行っています。価値の戦争をうたっているところは、タリバンに対する姿勢と同じです。

もちろん、ロシアの侵略が不当なものであり、罪もない市民の家や命を奪ったことは、世界のムスリムも理解しています。ただし、戦争が、自由と民主主義に対する挑戦かどうか、そこにはまったく関心がありません。

国連は侵攻が始まってすぐ、２０２２年3月2日に、総会でロシア非難決議を採ります。１９３の加盟国のうち１４１カ国が賛成しました。イスラム圏の国もほとんどが賛成しています。

少し細かいのですが、このとき、棄権したイスラム圏の国は、次の通りです。アルジェリア、バングラデシュ、イラン、イラク、マリ、スーダン、カザフスタン、キルギス、タジキスタン、パキスタン。

そもそも議場に来なくて投票しなかった国に、アゼルバイジャン、モロッコ、ウズベキスタン、カメルーンがありました。シリアは反対票を投じていますが、これはイスラムとは関係なく、ロシアの支援で内戦を続けてきたためです。

その後、国連総会は4月7日に、ロシアを国連人権理事会から追放する決議案を諮《はか》りますが、今度は賛成が93カ国にまで減りました。

イスラム圏からは、アルジェリア、イラン、マリ、カザフスタン、キルギス、タジキスタン、ウズベキスタンが反対に回ります。棄権はバハレーン、バングラデシュ、エジプト、インドネシア、ヨルダン、クウェート、マレーシア、オマーン、パキスタン、カタール、サウジアラビア、スーダン、チュニジア、UAE。議場に来なかったのは、アゼルバイジャン、レバノン、モーリタニア、モロッコ、ソマリア、トルクメニスタンです。

2回ともロシア非難に賛成したイスラム圏の国は、トルコとリビアだけでした。リビアはまだ内戦が続いていて、国連に承認されている暫定政権はトルコの支援を受けていますから、歩調をそろえたのでしょう。トルコだけは一貫してロシアの侵略を認めていないことは、重要な意味をもっています。

これらの国のなかでクウェート、カタール、サウジアラビア、UAEのようなアラブ産油国の動向も注目すべきものです。これらの国は基本的に親米で、アメリカ軍基地を置くなどして、アメリカ軍の傘の下に入っています。それなのに、アメリカの要請には乗ってこなかったのです。

アメリカへの依存を強めてきたアラブ産油国

少し古い話にお付きあいください。1990年代の初め、イラクのサッダーム・フセイン政権が、突然、隣国のクウェートを侵略しました。クウェートを救うために、アメリカ主導の有志連合軍が編制され「湾岸戦争」が起きます。フセイン政権はあっという間にクウェートから撤退しますが、その当時、恐怖に慄《おのの》いたのが、近隣のアラブ産油国でした。そこで、アメリカ軍に守ってもらおうということになったのです。

これに激しく怒った人たちもいました。オサマ・ビン・ラディンを始め急進的なイスラム主義を支持する人たちは、その典型です。イスラム主義というのは、ムスリムの国ならイスラムの法体系や価値観に基づいた政治をするべきだという考えです。彼らにとって、イスラムの聖地メッカとメディナがあるアラビア半島にアメリカが基地をもつことは、イスラムの拠点がアメリカに支配されるも同然でした。

母国サウジアラビアがアメリカに擦り寄ったことは、ビン・ラディンが、アルカイダを組織して、「欧米の十字軍との戦い」を宣言するきっかけになりました。彼は、サウド王家に抗議したため、逆に国籍を剝奪されて追放されます。アルカイダのアルはアラビア語の冠詞で、カイダというのは拠点とか基地のことです。

彼が主張した「逆十字軍」は、欧米諸国に好都合でした。十字軍は、名目上は、イスラムの支配下にあった聖地エルサレム奪回の戦争であり、キリスト教徒vs.イスラム教徒の戦いです。その逆をビン・ラディンが掲げたので、ムスリムはキリスト教徒を敵視しているに違いないという欧米側の主張を裏付けることになったわけです。

2000年代に入ると、別の理由が二つ加わって、イスラム圏の国々が、さらにアメリカに依存するようになります。

一つは、2010年以降、最初は北アフリカのチュニジアで始まったアラブ諸国の民主化運動があっという間に広がったことです。ほとんどの国では、民主化勢力は政権側の弾圧でつぶされたか、内戦に陥ってしまいました。

それを見ていたアラブ産油国は、民主化運動が自国に飛び火することを恐れます。ペルシャ湾岸のアラブ産油国は、民主主義どころか、ほとんど王家の持ち物のような国ばかりですから、そこに民主化の波が押し寄せるのは恐怖だったでしょう。そこで、こぞってアメリカ軍への依存を強めたのです。

もう一つは、ペルシャ湾の対岸にあるシーア派のイランに対抗するために、アメリカ軍が必要だったことです。イランはイラクやシリア、そしてレバノンのシーア派へのテコ入れを強めています。地図を見るとわかりますが、サウジアラビアにとっては、イランの息のかかった革命防衛隊の武装組織に囲まれてしまったことになりますから、危機感を強めたのです。

アメリカはイランをテロ支援国に指定しています。イスラエルの存在を許さないと公言し、革命防衛隊があちこちで破壊活動を続けているからです。イランの勢力拡大に歯止めをかけるためには、対岸のアラブ諸国を支援する必要がありました。

言うまでもなく、イランとアラブ産油国のあいだにあるペルシャ湾は、石油輸送の生命線です。イランの挑発を抑止するためにも、アメリカ軍は、この地域ににらみを利かせる必要があるのです。

このような経緯から、最近まで湾岸の産油国は、だいたいアメリカになびいていたのですが、ここへ来て、風向きが変わってしまいました。

アラブ産油国がアメリカの対ロシア制裁に冷淡だった理由

湾岸の産油国は、ウクライナ戦争でロシアに対する制裁の旗を振るアメリカに、ついてきません。

原油や天然ガスの供給がひっ迫し、価格が高騰すると、バイデン大統領自らサウジアラビアを訪問して、そこに集まっていた産油国のリーダーに増産を要請したのですが、どの国も応えませんでした。ＯＰＥＣ（石油輸出国機構）も同じ態度でした。

日本の新聞には、ＯＰＥＣ＋に参加しているロシアへの配慮だと書いているところもありましたが、関係ありません。産油国は、大儲けできる最後のチャンスと考えていたので、そもそもアメリカの要請に応じるはずがなかったのです。

コロナ禍やウクライナ戦争の直前まで、気候変動への対策は待ったなしだと言われて、化石燃料への風当たりは強くなる一方でした。欧米諸国では、化石エネルギー産業への投資も減りました。アメリカでは、環境破壊が懸念されるシェールガスやシェールオイルへの投資も止まりました。

戦争前まで、欧米諸国は産油国を、いわば悪者にしていました。それを需給がひっ迫したから増産してくれと言い、知ったことかと冷たくあしらわれても、仕方ありません。

天然ガスは、もっと厳しい状況でした。ヨーロッパ諸国は、それまで天然ガスの大部分をロシアに依存していたからです。

ウクライナ戦争が始まると同時に、ヨーロッパ各国は、主要な天然ガス産出国であるカタール詣でを繰り返して、割り当てを増やすよう頼んでいました。

ドイツもＥＵのリーダーとして、ロシアに強硬な姿勢を取っているように見えますが、そう簡単ではありません。ガス管で直接ロシアからガスを輸入していて、日本のように液化天然ガスの基地をもっていなかったのです。元栓を閉められたらガスの供給が止まってしまうところでした。

ロシアの侵略直後から天然ガスが不足することを予測して行動していましたが、それでも、供給不足にはなかなか対応できず、２０２２年の秋から冬にかけて、かなりのガス価格の上昇と節電を強いられました。幸い、22年から23年にかけての冬が記録的暖冬だったため、ヨーロッパは、ガス価格の高騰による経済危機を回避できましたが、インフレは相当に市民生活を苦しめました。

サウジほか各国がカタールとの関係を正常化

サウジアラビアとＵＡＥは２０１７年にカタールと突然国交を断絶して、経済制裁を科しました。バハレーンとエジプトも同調しました。これは、コロナ禍以前にイスラム世界が経験した分断の一つです。

カタールはごく小さな国ですが、豊富な天然ガスによる収入で潤っています。王族はスンニー派ですが、イランとの関係も続け、さらにスンニー派諸国で草の根型のイスラム主義運動に加わって政権から弾圧された人たちを保護してきた特異な国です。小国ならではの独自の生存戦略をとってきました。

サウジアラビアやUAEは、敵国イランとも付きあっているうえに、イスラム主義者を匿っているカタールを、とても危険な国と見ていました。なかでも、エジプトで厳しい弾圧を受けたムスリム同胞団という組織のメンバーを保護していたことが、サウジアラビアやUAEの恐怖を増幅させました。

世界的に知られたアルジャジーラという衛星放送局はカタールの首都ドーハに拠点をもち、カタール王家が出資しています。報道専門局ですが、欧米の視点とは一線を画しています。アメリカが起こしたアフガニスタンやイラクでの戦争、ロシアが政権を支援して大変な人道危機を招いたシリア内戦、サウジアラビア・UAEとイランの双方が介入して、これも最悪の人道危機を招いたイエメン内戦。エジプトの民主化をつぶした軍のクーデタ。アルジャジーラが、欧米とは別の視点で報道してきたことは、大変重要な意味をもっています。

ところが、コロナ禍のさなかの2021年、突然、この険悪な関係は終わりを迎えました。カタールとサウジアラビア、UAE、バハレーン、エジプトが関係を正常化したのです。

２０２２年、カタールでサッカーのワールドカップが開催されると、それに合わせて、サウジアラビアのムハンマド・ビン・サルマン皇太子、エジプトのシーシー大統領、そしてＵＡＥのムハンマド・ビン・ザイド大統領が相次いでカタールを訪問しました。いったい、何がどうなったのかは明らかにされませんでしたが、和解したことは確かです。

カタールと仲の良かったトルコも、サウジアラビア、ＵＡＥ、エジプトとの関係が悪化していましたが、こちらも一気に改善しています。

「争っても利益にならないなら、喧嘩はやめよう」ということがイスラム世界では起きます。政治的な対立は、私たちの世界では最も重要な要素ですが、イスラム世界では、経済の安定に比べると重要度がぐっと下がるのです。

イスラエルとも関係を改善させたアラブ産油国

アメリカはカタールに中東地域最大のアメリカ軍基地を置いているので、同じスンニー派アラブ産油国同士の喧嘩には困っていたはずです。

そのアメリカの意向と深くかかわるのですが、アラブ諸国とイスラエルとの関係も劇的に改善しています。２０２０年、ＵＡＥとバハレーンは、イスラエルとの国交樹立に合意し、航空路も開かれました。１９７９年にエジプトとイスラエルが国交を樹立、１９９４年にヨルダンとイスラエルが国交を樹立して以来、まったく進展のなかったアラブ諸国とイスラエルの関係が動いたことになります。

この変化は、トランプ政権のときに起きています。彼は、民主党のように自由や民主主義の価値を前面に出しませんでした。儲かるかどうかにしか関心を示さなかったので、アラブの産油国とは交渉しやすかったのでしょう。

サウジアラビアは、イスラムにとっての二つの聖地、メッカとメディナの守護者ですから、まだ慎重です。それでも、サウジアラビアのムハンマド皇太子は、政府系ファンドを通じてイスラエルへの投資に熱心ですから、基調として、イスラエルとの関係改善に向かっているのは確かです。

そして、カタールは、ここでも小国の知恵を発揮して、パレスチナ問題の解決がなければ外交関係をもたないとしています。これまで、パレスチナ人を多く国内に受け入れてきましたし、ガザのハマスとの関係も維持しているカタールですから、彼らを裏切らない姿勢も大切です。

２０１７年１月から21年１月までのトランプ政権下のアメリカは、親イスラエル色を強く打ち出し、17年にはアメリカ大使館をテルアビブからエルサレムに移しました。エルサレムは、ユダヤ教、キリスト教、イスラムという三つの一神教の聖地で、ここをどの国が統治するかは、それこそ１０００年以上にわたって激しい紛争の原因でした。中世の十字軍も、名目上は、エルサレムをムスリムから奪回するとうたってきました。

第二次世界大戦後にイスラエルが建国された後も、この問題はずっと残ったままです。大半の国が、エルサレムではなく、テルアビブに大使館を置いてきたのもそのためです。

アメリカがイスラエルの望み通りエルサレムに大使館を移したことで、アラブ諸国やイスラム圏との関係は悪化するかと思われましたが、実際には、そうはなりませんでした。

アメリカはクシュナー大統領顧問（トランプの娘イヴァンカの夫）を使って、サウジアラビアやUAEに接近し、アラブ産油国の巨額の資金をパレスチナの安定のための投資に回そうとしたのです。

しかし、このプランにはパレスチナの権利回復は何一つ含まれておらず、ユダヤ人入植地もそのままで、パレスチナの現状を固定し、そこに資金を回して開発を進めてやるという身勝手なものでした。

パレスチナ自治政府はもちろん、トルコやイランもすぐに反対しました。この計画は、トランプ政権が一期で終わってしまったため進展しませんでしたが、イスラエルとアラブ諸国の関係はその後も一歩ずつ改善しています。

トルコとの関係についても、２０２２年にイスラエルの大統領がトルコを訪問し、14年の空白の後、首脳の往来が実現しました。それに続いて大使級の外交も再開されています。

トルコのエルドアン政権は、ムスリムの生きる権利が侵害されているパレスチナのガザに対して同情的でした。ガザは、同じパレスチナ人のヨルダン川西岸地区とも切り離されて孤立しています。「青空監獄」と呼ばれる状況が15年以上も続いています。

2010年の5月、そのガザに支援物資を運ぶNGOの船、マーヴィー・マルマラ（青いマルマラ海）号が公海上でイスラエル海軍の襲撃を受けて、トルコ人活動家9人が死亡しました。トルコ政府はイスラエル政府に激しく抗議し、外交関係を格下げしていたのです。その後、オバマ大統領の仲介で一度は和解のきざしもあったのですが、うまくいかず、両国の関係は冷え切っていました。

そのイスラエルとさえ和解するというのは、どういうことなのでしょう。

ウクライナからの穀物輸出再開で存在感を高めたトルコ

トルコも、アラブ諸国と同じように、コロナ禍やウクライナ戦争によって、ムスリムの民衆が疲弊しているときには、これ以上、近隣の国との関係を悪化させず、経済に専念しようという空気に変わったようです。

2022年、ロシアのウクライナ侵攻が始まってから、黒海を通るウクライナからの小麦などの輸出が止まってしまいました。トルコは、戦争が始まってすぐに、そのことをなんとかし

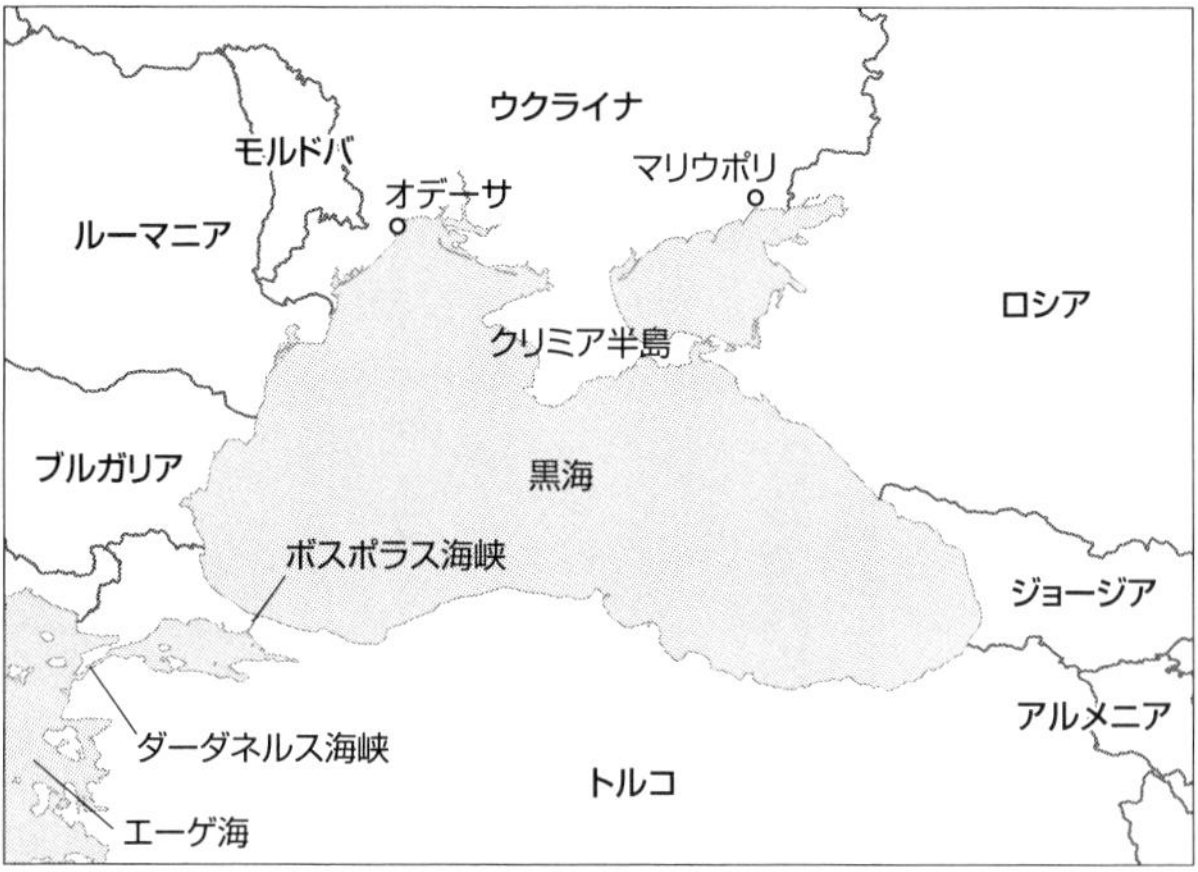

ようと動きます。そして7月にトルコがロシアとウクライナを説得し、国連との四者でウクライナからの穀物輸出再開にこぎつけたのです。

重要なことは、170万人のガザの人びとに必要な小麦のうち、110万人分をトルコが国連を通じて供与していることです。世界の誰もこういうことに注目しませんが、ムスリムの義務としての弱者救済をトルコは続けています。

ウクライナ戦争については、日本でも毎日のように報道されていますが、黒海をはさんだ反対側のトルコは注目されません。注目されたオデーサ、マリウポリ、そしてクリミア半島はみな黒海に面しています。有数の小麦生産国であるウクライナも、有数の肥料生産国であるロシアも、この海を通らないと輸出ができません。

ここでぜひ、地図をよく見てください。黒海には、細いボスポラス海峡とダーダネルス海峡しか出口がありません。

この二つの海峡の主権を握っているのがトルコです。国際海峡ですが、1936年に締結されたモントルー海峡条約によって、沿岸国で戦争が起きているときは、トルコが軍艦や商用船舶の航行について、かなりの権限をもつことが定められています。

この条約を活用して、トルコはウクライナの小麦やひまわり油、ロシアの肥料を中東やアフリカの貧しい国に供給するルートを確保しました。ロシアは、ここを通って石油を輸出していますから、間違ってもトルコと争うことはできません。

サウジとイランの外交関係再開が意味するもの

イスラム世界の国々は、なぜ、ウクライナ戦争でのアメリカの価値観外交、対ロシア制裁に冷淡なのでしょう。この問題は、中東の現在と将来を考えるとき、一つの焦点になってきます。

日本では、トランプ政権はひどかった、バイデン政権になって、ようやくまっとうになったと考えている人が多いようです。しかし、ところを変えると、見え方が違ってきます。

バイデン政権は、イランとの核協議から離脱してしまったトランプの姿勢を批判し、国際協調路線に転じました。ここまでは、アラブ諸国にとっても歓迎すべき点でした。

その一方で、トランプ政権がサウジアラビアやＵＡＥに兵器を積極的に売却し、それがイエメン内戦で使われたことを、人権や民主主義のような「価値」を外交の前面に押し出すバイデン政権は非難するようになります。そして、サウジアラビアとＵＡＥへの兵器輸出を止めてしまったのです。これが、関係を冷え込ませる最初の契機でした。

その後、ウクライナ戦争が始まると、原油増産を働きかけるために、一転して兵器の売却を承認して気を引こうとします。しかし、足元を見られました。

サウジアラビアは２０１６年以来、イランと国交を断絶してきましたが、イラン側はここ数年、関係改善に前向きと伝えられていました。他のアラブ諸国は、外交関係を断ってはいませんでしたが、外交使節のトップである大使を相互に派遣していませんでした。ところが、２０２２年8月、ＵＡＥとクウェートは外交関係を格上げして大使を交換することを明らかにします。

そしてついに、２０２３年の3月、サウジアラビアとイランもまた、外交関係を再開することで合意したのです。仲介したのは中国でした。欧米の視点で見ると、アメリカの言うことを聞かない中国が、中東への影響力を強めようとしているということになるのでしょう。中国の意図はそうかもしれませんが、サウジアラビアとイランが和解の道に進みだしたのは、ここまで述べてきたように、イスラム世界全体の傾向を反映しています。

まず、スンニー派のなかで対立していたサウジアラビア＋ＵＡＥ＋エジプトvs.カタール＋トルコが和解、次は、スンニー派のサウジアラビアとシーア派のイランとの和解ということです。これがそのまま続くかどうか、2023年6月の時点ではわかりませんが、とにかく、イスラム世界が分断から協調の方向に舵を切ったことは確実です。

ただし、外交関係を格上げしたからといって、アラブ諸国がイランを信頼しているわけではありません。そこには注意が必要です。

イランZ世代による大規模な反政府運動

この和解ムードの背景には、イランにとっての差し迫った状況がありました。「道徳警察」に捕まった女性が、警察から釈放された後に亡くなった事件です。

これをきっかけに、イラン全土で大規模な反政府運動が起きました。12月になっても抵抗は一向に収まらず、検事総長は悪名高い「道徳警察」による取り締まりをやめると発表しました。

「道徳警察」とは、司法制度に基づくものではなく、イスラム的に不道徳な行為を取り締まる部門が管轄しています。きちんと髪の毛を隠さない女性を車に押し込めて、再教育センターに連行していましたが、そこで暴力がふるわれたことが疑われています。この事件に同情し、連帯を表明しているのは、世界の亡命イラン人や欧米諸国です。

イランで政府への批判活動を展開している人たちのなかには、Z世代の若者が多数います。

彼らは、生まれたときからイスラム体制のイランに生きています。自分の国が、核問題で制裁を科されていて、世界を自由に動くこともできません。イランの人がビザなしで行ける国はほとんどないのです。

経済制裁のせいで不自由を強いられているうえに、今回のような体制側の厳しい弾圧を受けたのでは黙っていられないでしょう。彼らは、SNSを使いこなしていますから、自分で行けなくても世界の動向をよく知っています。

政府よりも一足先に、若者たちが、いつまでも世界から仲間外れにされているイランの現状に抗議の声をあげたのです。その矛先が向かったのは、自国のイスラム政権でした。

しかし、30年以上も最高指導者の地位にいる高齢のハメネイ師や、その取り巻きは、10代の若者たちの気持ちを理解して素早く動くことなどできません。

この事態に対しても、バイデン政権は「自由と人権」を振りかざしてイランを批判し始めました。それは間違ったことではありません。もういい加減、制裁を解除してほしいと願っていた若者は、アメリカに期待してもいます。

ただ、アメリカは口でイランへの非難を強めるだけです。イランに戦争を仕掛けて倒すだけの余裕はありません。

アメリカという国は、共和党の政権だろうと、民主党の政権だろうと、中東に対してやってきたことは、実はあまり変わりません。自分たちが普遍的な価値だと信じることを押し付け、それに従わないと、分断を拡大させ、脆弱な秩序を壊してしまうのです。

イスラムは商人の宗教、戦争は商売の邪魔

イスラムという宗教の特徴として、日本人が知らないことの一つに、商業的性格があります。先にも述べましたが、商売はすべての経済活動の基本。公正な商売をすることはイスラム的道徳の基本です。お金を稼ぐことには何の問題もありません。儲けの一部を喜捨として差し出すことはムスリムの義務ですから、そのお金を稼ぐための商売は善行の基盤です。その意味で、イスラムは商人の宗教として広がったとも言えます。

そのため、商売の邪魔になる戦乱の世の中というものをムスリムは好みません。西欧は、イスラムが好戦的な宗教だと決めつけてきましたが、まったく当たっていません。

実際には戦いが起きてしまったのは、欧米諸国がイスラム世界を支配しようとした19世紀以来、とにかく相手が好戦的で野蛮だから戦争で捻《ね》じ伏せるという理屈を立てたことの結果です。

ムスリムが戦うのは、信徒の社会が攻撃で危機にさらされた場合です。このケースでは、ジハードとして戦わなければならないことは、すでに書いた通りです。つまり、そういう状況にならないかぎり、ムスリムはわざわざ戦争（もちろん、いわゆるテロもです）を起こしたりし

ません。

コロナ禍とウクライナ戦争のあいだに、それまで戦争をしたり、あるいは国交を断絶したりしてきた国同士が急に接近するのを目の当たりにしても、ムスリムは落ち着いています。むしろビジネスチャンスが増えるなら、それでいいか、というムードです。

ファーストリテイリング会長兼社長の柳井正氏が、ピタッとその点を言い当てています。

「世界を分断しようとしているのは国家だ。ただ分断は国にとっても良くない。戦争する方が良いのか。平和的に共存する方が良いのか。覇権争いをやるのが良いのか。当事者は良いかもしれないが、周辺の国は困る。日本は米中の間にいて、どっちの味方だと言われても、両方とも味方だとしかいえない。敵をつくってはいけない。敵をつくる行為はやめてもらいたい」（日本経済新聞2023年1月17日）

さすが世界を相手に商売をしてきた人です。彼の見方は、ムスリム商人の世界観とみごとに一致しています。

民主主義より経済の発展と強いリーダーを望む

最近、アラブ諸国について興味深いアンケート結果が公開されました。アラブ・バロメーターというシンクタンクが調査したもので、BBCが報道しました。「アラブ人は民主主義の下では経済が弱いと考えている」というタイトルです（https://www.bbc.com/news/world-middle-east-62001426）。調査は、ロシアによるウクライナ侵略の前、コロナ禍の最中に実施されたものです。

「民主主義の下で経済は弱体化するか」という問いに対して、どの国でも答えはＹＥＳが優勢でした。とくに、イラクでは２０１８－19年には50％の人がＹＥＳと答えたのに対して、21－22年になると75％に上昇。モロッコでは18－19年には10％前後でしたが、21－22年には50％弱の人が、民主主義では経済が弱くなると答えています。

さらに「強いリーダーを望むか」という問いになると、レバノンでは26％の人が望まないと答えたのに対して、望む人は73％、リビアでは27％が望まないのに対して71％が望む、国が分裂したままのイラクでは、望まない人が13％に対して、望む人は87％、民主化を成功させたチュニジアでも、望まない人が16％に対して、望む人は81％に達しています。どの国でも強いリーダーを待望する人が増えているのです。

コロナ禍が経済を直撃した結果、多くの人が食料にお金を費やせないほどの貧困に陥ったことが窺《うかが》えます。同じ調査では、これ以上、食料にかけるお金がないと答えた人の割合は、エジプトで68％、スーダンで63％、イラクで57％、チュニジアで55％でした。その後、ウクライナ戦争による物価の高騰が追い打ちをかけたので、この傾向はさらに強まっています。

「アラブの春」唯一の成功例チュニジアでも民主化が後退

チュニジアという国に注目してみましょう。北アフリカの小国で、古くはカルタゴの遺跡があって、地中海文明のふるさとの一つ。この国は2010年に始まったアラブ民主化運動の原点でした。一人の貧しい男性が、警察へのわいろを断ったために行商の屋台を取り上げられたことに絶望して焼身自殺を図ります。イスラムでは、自殺してしまうと楽園に行けないことになっていますから、イスラム圏で自殺するというのはよほどのことです。

腐敗して、富と権力を独占する政権に民衆が反旗を翻す動きは、あっという間に拡大します。そして、2011年には、長いこと独裁を続けたベン・アリ大統領を追放し、民主化を進めました。劇的な展開でした。大統領はサウジアラビアに逃亡しましたが、その後、現地で亡くなりました。

民主的に行われた選挙では、イスラム主義をとる政党と世俗主義をとる政党とが拮抗《きっこう》しました。チュニジアはフランスの植民地だった国ですから、フランスと同じように「イスラムか、世俗主義か」が争点になったのです。

しかし、民主化は進んだものの経済的な成果を出せませんでした。イスラムで国を立て直そうとした人たちは、世俗主義派との妥協に不満でした。結構な数の急進派がリビアに出て行ってしまい、AQIM（イスラム・マグリブのアルカイダ）やIS（イスラム国）のような過激派に参加します。

彼らがチュニジアでもテロを起こしました。2015年3月には、首都チュニスのバルド美術館がIS系とされるテロリストに襲撃され、日本人3人を含め外国人が21人殺害されるというひどい事件が起きました。

こうなってくると、イスラム的な公正さを政治に活かそうというだけで暴力性はない人たちも、支持を失います。世俗主義派の市民は、やっぱりイスラムが政治に出てくると、ろくなことにならないという批判を強めます。こうしたなかで、国民は、政治よりも経済がよくならないことで民主化に失望していきました。

そして、コロナ禍です。

2019年になると、学者出身のカイス・サイードが大統領になりましたが、議会を停止して大統領に権限を集中させてしまいました。政党政治が機能しなくなり、民主化の成果は失われました。

そのことに不満をもつ国民は多いのですが、同時に、とにかく国を安定させたうえで、どうやって経済を立て直すかも大問題です。こういうときには、商売、つまり経済の向上に傾斜するのがイスラム社会の特徴です。別に、民主化を捨てたわけではありません。

状況によって、今はイスラムを表に出して民意の反映を要求するよりも、国全体の経済政策をしっかり立て直すときだと多数の国民が思えば、民主化を犠牲にして、強いリーダーにやらせてみるということなのです。

市民が賢く声をあげ、大統領を追放したアルジェリア

もう一つ、私が注目しているのはアルジェリアという国です。ここも、チュニジアと同じく、北アフリカにあり、かつてフランスの植民地でした。

アルジェリアは「アラブの春」の影響をたいして受けませんでした。民主化に関心がなかったのではありません。この国は１９９０年代の初め、冷戦が終わった直後に民主化に向かいました。台頭したイスラム主義政党のＦＩＳ（イスラム救国戦線）が、もともと社会主義体制だった政権に激しく弾圧されて四分五裂し、激しい内戦に陥ってしまいます。１９９８年までに10万人が犠牲になったと言われています。

その後、内戦を収拾したアブデルアジズ・ブーテフリカが34年ぶりの文民大統領となるのですが、軍部に支えられて、がっちりした権威主義体制を維持します。

２０１０年に、「アラブの春」がチュニジアから始まり、北アフリカから西アジアのアラブ諸国まで、あっという間に広がっていくなかで、アルジェリアでも大規模な市民によるデモは起きましたが、大きな混乱に陥ることはありませんでした。国民のあいだには、かつて「民主

化」がひどい内戦を招いたことがトラウマとして残っていたのです。

アルジェリアは産油国で経済は安定していましたから、とりあえず、国民は静かにしていました。もちろん、静かにしていただけで、若者を中心に、強権的な体制を変えようという思いは広がっていました。

アルジェリアでは、2010年代の半ばあたりから、どうもブーテフリカ大統領には統治能力がないのではないかという疑いが広がっていきます。国民に肉声が伝わらないのです。本人が話をできる状態なのかどうか、国民は疑い始めました。テレビに姿は映るのですが、話している音声がない。健康状態への疑いが深まるなか、それでも大統領選挙に出ることになって、さすがに国民がNOと言い出します。

そして国民のあいだに、静かな民主化運動が起きます。当面の目標は、2019年に再選を目指して立候補を表明した（とされる）ブーテフリカ大統領の退陣でした。

運動の名前は、ただ「運動＝ヒラーク」というだけ。Facebook のようなSNSを使いこなす若者たちが、静かに、自分たちの思いを共有していきました。イスラム過激派もNO、既存の権力もNO、なんとかして、多様な人たちを取り込むインクルーシブな運動を展開しようというのです。市民は街頭でさまざまに声をあげましたが、暴力的な運動はせず、広場で意見を述べ合うという慎重なものでした。

一つの例ですが、政権が若者を動員して催しを行ったとき、参加者に安物のハムをはさんだサンドイッチを配ったそうです。すると市民は、国民的な人気のあるサッカーの試合でスタジアムに集まった際に、そのハムやサンドイッチを揶揄する声をあげたのです。

政権側は、さすがに、ハムを皮肉られたぐらいで弾圧はできません。デモなら警察が蹴散らすこともできたでしょう。しかし、どんなに大人数が集まっても、サッカーの試合に来ている市民を蹴散らすわけにはいきません。そんなことをしたら、暴動になることは政権側もわかっていました。非常に賢い方法で、市民は声をあげていたのです。

そして、2019年の4月には、ついに本人の肉声での声明がないまま、ブーテフリカ大統領は退任しました。

EU諸国に天然ガスを売り、ロシアとも緊密

ブーテフリカ大統領を退任に追い込んだものの、既存の体制側からの候補者だったテッブーンが新大統領となります。そして、翌年からコロナ禍に見舞われ、政府は市民の街頭デモを禁止し、市民が外出することができなくなって、運動は静かに消えていきます。消えてしまったとはいえ、その経験は多くの市民によって共有されました。街頭で暴力的な行動に出ることなく、衝突もなく、初めて、大統領を追放したことは、貴重な成功体験となりました。

　コロナ禍が始まってからウクライナ戦争にかけての数年、豊富な天然ガスと石油のおかげで、アルジェリア経済は潤っています。ヨーロッパは、ロシア産の天然ガス輸入を止めると宣言しましたが、代わりにどこから輸入するのかが大問題です。

　アルジェリアは、隣国のモロッコを通るパイプラインでスペインにガスを供給してきました。このラインは、いまや南ヨーロッパのＥＵ諸国にとって生命線です。ところが、アルジェリアはモロッコ向けのガス供給を止めてしまい、ヨーロッパは慌てました。

　モロッコはイスラエルとの外交関係を樹立することと引き換えに、西サハラという、領有権をめぐって問題が起きている隣接地域の支配をアメリカに認めさせました。西サハラの抵抗勢力を支援してきたアルジェリアは、この決定に反発します。パレスチナ問題でも一貫してイスラエルを非難してきた国です。それでモロッコとの国交を断絶し、パイプラインも止めたのです。

　結局、アルジェリアの天然ガスは、モロッコを通さずにヨーロッパに送られることになりました。

　冷戦時代には「社会主義」をうたってきたアルジェリアは、ロシアとも緊密な関係にあります。ウクライナ戦争に関しても、ロシアを非難しませんし、むしろＥＵやアメリカには批判的な立場です。アメリカやＥＵ諸国は、いくらロシア産の原油や天然ガスを買わないと言っても、実際には、ロシアの友好国であるアルジェリアのような国からは買っています。

資源価格の高騰で外貨も入ってくるし、エネルギー危機にも見舞われない。そろそろコロナ禍の危機も脱した。市民たちも、それなら、当面、民主化運動を盛り上げるより、経済活動に専念して、世界が落ち着くのを待とうということになっていきました。

2022年の夏、日本に住むアルジェリア人の友人が里帰りから日本に戻ってきたとき、コロナ禍の状況はどうなのと尋ねたら「もう、終わった、終わった。誰もコロナの話なんかしないし、マスクもしない」と言います。感染者はいるようなのですが、社会の方はすっかり落ち着いているようです。

日本は、ちょうど感染の第七波で大変なときでしたが、彼は「俺たちにはアッラーがいるんだ。残念だが日本にはアッラーがいない。その違いだろうね」と言って笑っていました。

友人は、敬虔なムスリムですが、イスラムに従う国家をつくるべきだとはまったく思っていません。イスラムの敵に対するジハードを叫んで暴力に訴えるような過激派をひどく嫌っています。日本とアルジェリアを比べると、日本人がはるかに神経質にコロナ対策をしていることを知っていますが、決して、それを馬鹿にしたりしませんし、日本にいるときは、日本人と同じようにマスクもして、ルールに従っています。

同時に、もうコロナ禍は終わった気でいる母国の社会がおかしいとも思っていません。新型コロナの大流行以来、いろいろなことに耐えてきたのは、アルジェリアも日本も同じです。しかし、いつまでも同じところにとどまらず、「もうこれから先は、アッラーにまかせよう」という感覚が働いているのです。

神がいないとなると、後は人間だけで、物事を考え続けなければなりません。そのあたりのしんどさを二つの国に暮らした友人は、よくわかっていたのです。緊張しながらコロナ対策を続けてきて、もう、やることはやったから神のご意志にゆだねようという方向に転じる。このような切り替えは、確かに、アッラー（神）のいない日本では難しいことでした。

第6章 イスラムと暴力

「イスラム過激派」「テロ組織」とは？

コロナ禍とウクライナ戦争の前まで、西欧にとって最大の敵はイスラム過激派のテロ組織とされていました。

マスコミでもずっと使われてきましたし、本書でも使っていますが、「イスラム過激派」という言葉も、「テロ組織」という言葉も、実は注意が必要です。

イスラム過激派というのは、どのような思想潮流、政治運動を指すのかということが問題です。まず、イスラムに従って国を統治するということが前提になるでしょう。こういう国が存在するなら、イスラム教国、あるいはイスラム国家と呼びます。

イランやサウジアラビアも、イスラム国家を標榜《ひょうぼう》していますが、それでは、イスラム過激派の国なのでしょうか。イランはそう言われることがあります。しかし国民は、必ずしも、イスラム体制を支持していません。サウジアラビアの方は、イスラム法で統治する「イスラムの国」ですが、イスラム過激派の国とは言われません。アメリカと近い関係にあると、過激派の国とは呼ばれません。

そうなると、ムスリム（イスラム教徒）が多数を占めている国の場合、イスラム過激派というのは、イスラムを軸に世直しをしようとして、暴力を使ってでも政権の転覆を謀《はか》る勢力ということになるでしょう。アフガニスタンのタリバンは、そういう組織の一つでした。

他方、イスラム過激派の「テロ組織」とは、何の悪意もなく暮らしている人びとの命を無差別に一瞬にして奪い恐怖のどん底に突き落とす、「テロ＝恐怖」を使う暴力集団のことです。その暴力によって、自分たちが考える「イスラムの敵」を倒そうというのです。これにあたるのは、２００１年の９・11同時多発テロを起こしたアルカイダや、２０１４年から数年間、イラクやシリアで猛威をふるった「イスラム国」が良い例です。

タリバンもテロ組織じゃないかと思われるかもしれませんが、アメリカでさえ、タリバンをテロ組織に指定しませんでした。タリバンは、あくまでアフガニスタンの地を侵略し占領する敵と戦うレジスタンスだったからです。１９９０年代に一度政権を取った当時の統治が残忍だったのは事実ですが、それをもって「過激派」と呼ぶことはできても、「テロ組織」とは呼べません。敵というのは、かつてはソ連軍、２００１年秋以降はアメリカを中心とするＮＡＴＯ軍、そしてその傀儡《かいらい》政権です。

アメリカは主要メンバーを、個人的に「テロリスト」として制裁の対象にしていましたし、長年グアンタナモなどの刑務所に収監されたメンバーもいます。しかしそれでも、タリバンを丸ごとテロ組織に指定しなかったからこそ、２０１９年以降、停戦交渉をカタールのドーハで進めることができました。テロ組織に指定していたら、「テロ組織」と交渉することになってしまい、アメリカがずっと掲げてきた「テロとの戦い」の原則が完全に崩壊してしまいます。

気を付けてほしいのですが、隣国パキスタンにも、「パキスタンのタリバン」という組織がありますが、こちらはアメリカ政府からテロ組織に指定されています。2014年にノーベル平和賞を受賞したマララ・ユスフザイさんを銃撃して瀕死の重傷を負わせたのは、この組織だとされています。

犠牲者にとっては「国家による戦争」も「過激派テロ」も同じ

ただし、ここでもう一つ、欧米諸国の側が見ていない、あるいは見て見ぬふりをしてきたことを指摘しなければなりません。それは、欧米の側がやってきた戦争です。

パレスチナ、とくにガザへのイスラエル軍の攻撃、アフガニスタンでのアメリカ軍を中心とするISAF（国際治安支援部隊）の戦闘、イラク戦争。これらの武力行使によって、多くの市民が犠牲になりました。

欧米でテロの犠牲になった市民とまったく同じように、何の悪意もなく暮らしていた人びとが一瞬にして、アメリカ軍やイスラエル軍のミサイルや爆弾、銃弾によって命を奪われる。犠牲者の目から見れば、間違いなくテロ、国家によるテロです。

日本のマスコミでは、こういうことを言ってはいけないようですが、国家の戦争だろうと、テロ組織の破壊活動だろうと、犠牲になる市民にとっては同じことです。殺される側にとっては、「正しい戦争」と「過激派のテロ」のあいだには、何の違いもありません。

イスラムの道徳を無視した為政者は民衆の手で倒される

今の世界は、イスラム通りに統治することはほとんどできません。近代以降に西欧がつくった政治や行政のシステムが、世界中に広がっているからです。西欧は、それが優れているから広まったと思い込んでいますが、実際には、18世紀ぐらいからイスラム圏への支配を強め、19世紀になると、中東やアフリカ、そしてアジアのイスラム圏を植民地として手中に収めていった、力による支配の結果でもあります。

ですから、ムスリムからは、たとえば役人の汚職や権力者の不正蓄財、貧富の格差など、目の前の問題がひどくなるのは、為政者がイスラムの道徳を無視した統治をするからだという声が必ずあがります。こういう声は時代を問わずにあがるものです。

飯が食えなければ、統治が悪いのです。王にせよ、大統領にせよ、あまり状況が悪くなると、民衆によって力で倒されます。イスラムでは、アッラー（神）の方が現世の国王より絶対的に上なので、アッラーの示した「道」に反する王は排除してよいとされます。

イスラムの国だったオスマン帝国では、「皇帝といえども驕《おご》ってはならない、皇帝より上に、アッラーがいる」という言葉があったそうです。

今のイスラム世界（ムスリムの人口が多い地域）でも、同じ問題があります。民衆は、イスラムの先生を中心にして、権力者の不公正に対して「おかしいじゃないか」と声をあげていきます。声をあげる場合、批判の矛先は権力者ですが、同時に、貧しい人、弱者の救済を自分たちの手で行うようになります。そうすると、弱い立場の人たちも、こぞって、「権力者がおかしい、正しいイスラムの道に戻るべきだ」と声をあげるようになります。

実は、これまで何度もそういう声によって、政権が倒されてきました。1979年のイランでのイスラム革命もそうでした。欧米に接近して豪奢《ごうしゃ》な生活をきわめたパーレビ国王の体制は、怒った民衆とイスラムの先生によって倒されました。

民主化かイスラム体制か――「アラブの春」の先の二つの道

2010年に始まったアラブ諸国での民主化運動「アラブの春」でも同じことが起きました。ただし、弱い立場の人たちには、二通りの志向がありました。

一つは、権力と富を集中させた独裁者に異を唱え、私たちの社会のような、自由で民主的な体制をつくろうというもの。そして、もう一つは、同じく独裁者に異を唱えるのですが、その先に、イスラム的な体制をつくろうというものです。

ですから、「敵」は同じでも、目指す方向が違っていたことになります。前者の人たちは、ムスリムであっても、イスラム体制には関心がありませんでした。

このことが、独裁者を倒した後、社会に分断を生み出すことになってしまいました。チュニジアでは、すでに述べたように、二つの勢力が拮抗して、物事が動かなくなってしまいました。

エジプトでは、独裁者の追放と自由な選挙までは成功しました。その結果、イスラム的な体制を望む人たち、つまりイスラム主義者の方が選挙に勝利しました。そしてムスリム同胞団という組織を支持基盤とするムハンマド・モルシー大統領が誕生しました。しかし、それを嫌った世俗主義派と軍部はクーデタを起こして大統領を拘束し、支持基盤の組織を「テロ組織」にしてしまったのです。

ムスリム同胞団は、エジプトだけでなくイスラム圏に広く似たような団体がありますが、もとは1928年にエジプトで誕生した組織です。当時圧倒的に強かった西欧の力に捻じ伏せられることなく、対抗してイスラムの国をつくろうというところに誕生の動機がありました。

イギリスやフランスが、アフリカ、中東、アジアを植民地支配していたころです。これらの地域はムスリムの多いところで、イスラムの絆で団結して、西欧に対抗しようとする人たちが出てきたのは必然的なことでした。

民族主義とイスラムは相容れない

植民地支配を受けていた時代には、民族の絆を基に、西欧に対抗しようとする勢力も出てきました。「民族」の絆で団結するのか、「イスラム」の絆で団結するのか。両者はきれいに分離できるものではなくて、混ざり合うこともあります。

１９７０年代までは、イスラム圏でも、民族の絆による政治運動の方が活発でした。アラブ民族主義や、トルコ民族主義の力は強かったのです。しかし、その後80年代になると、イスラムに従った政治を実現しようという力が強くなります。

民族主義とイスラム主義とは、突き詰めて考えると相容れません。イスラムとは民族を超越した世界宗教です。ここが同じ一神教のユダヤ教との大きな違いで、特定の民族に神の啓示が下されたという考えはまったくありません。

預言者ムハンマドに下された啓示は「アラビア語」でした。ですから、アッラーの言葉を記したコーランはアラビア語しか認められません。翻訳は世界中にありますが、真正なコーランはアラビア語のものだけです。

それでは、アラブ民族こそイスラムの本家本元で、他の民族は二級のムスリムかと言うと、そういう感覚はまったくありません。これは不思議なことです。イスラムの勉強をするとなると、アラビア語による理解は欠かせませんが、アラビア語の読み書きができなければムスリムになれないというものではありません。

ムスリムになるには、「唯一で絶対者であるアッラーにすべて従います、ムハンマドはアッラーの使徒です」と心の底から信じればよいとされています。すべてのルールについては、各々、地域によって異なる言語で先生（イスラム指導者）から学べばよいので、アラビア語原典にあたらなければ信者になれないということではありません。

イスラム指導者とはイスラム学者のことです。イスラム学者を目指すなら、アラビア語に精通しなければなりません。しかしそれができれば、イスラム学者のあいだにも民族的な差別は一切ありません。

先生になったら、その土地の言葉で信者の疑問に答えてあげればよいのです。あとは信者である民衆の心をゆさぶる話ができたら、徳の高い先生ということになります。

民族主義とは、自分たちの民族を大事にする発想です。この発想を基にしていたら、イスラムはアラブ人の宗教にとどまって、今日のような世界宗教には発展できなかったはずです。

私自身、パレスチナ人、トルコ人、インドネシア人、アフガン人、マリ人、アルジェリア人、フランス人、ドイツ人、オランダ人と、世界各国のムスリムの友人がいます。彼らが何を大切にしているかは、話しているとわかります。それはイスラムという共通の信仰に基づいています。細部は地域によって違っていることもありますが、大筋は共通です。

すでに書いたように、イスラムは道徳の根本を説いています。社会のルールも示します。民族による相違はまったく前提にされていません。ですからそこに、支配する民族、支配される民族の話を持ち込むと矛盾をきたします。アッラーとの契約でムスリムになるにあたっては、優位の民族もなければ、劣位の民族もないからです。

民族の絆で政治的にまとまる民族主義は、民族自決の考え方に通じますが、これは西欧世界でつくられたものです。植民地支配を受けた「民族」が独立することを支持する言説としては正しいのですが、独立した後に、民族主義に基づいた国づくりに固執すると、必ずマイノリティとなった民族とのあいだに紛争が起きます。実際、このことは、実に難しい問題を生み出してきました。

テロは「イスラム原理主義」のせいで起きるのではない

「イスラム過激派」の「テロ」は、ムスリムが置かれている状況によって、つくりだされるものです。欧米諸国は、1980年代に入ったころから「イスラム原理主義」という過激思想があって、それを信奉するムスリムが「テロ」を起こすのだと思い込むようになりました。

きっかけは、イランで起きたイスラム革命とエジプトのサダト大統領の暗殺でした。イランは、1979年に親欧米のパーレビ国王の体制が民衆の怒りで倒された後、ホメイニ師が率いるシーア派イスラム体制の国になってしまいました。そのとき、暴徒と化した若者たちは、テヘランのアメリカ大使館を占拠しました。共産主義国以外に、アメリカに公然と刃を向ける国があることを想定していなかったアメリカにとっては、大きな衝撃でした。

何かわからない勢力が歯向かってくると、西欧世界は、その背後に「政治的イデオロギー」があると考えます。思想が人を突き動かすのは、近代以降の西欧では、一般的なこととされていたからです。ただ、それをイスラムに当てはめるのは無理があると私は考えています。

エジプトのサダト大統領は、１９８１年に過激な組織に属するスンニー派の将校によって殺害されます。次のムバラク大統領は、すさまじい勢いで過激派をつぶしにかかります。エジプトの場合は、アラブ民族主義が強かったので、その当時はまだ国民もついてきていました。

しかし、こういう暴力的な政変は、イスラム原理主義やイスラム過激思想のせいで起きたのかと言えば、どうも違うと思うのです。そういう過激思想はありますし、その影響を受けることも確かですが、実際に暴力に訴えたのは、何らかの原因で現状に激しい怒りをもったか絶望した若者たちです。

すでに書いたように、イスラムの教えそのものは１４００年前にできたころから何も変わっていません。アッラーのメッセージであるコーランと預言者ムハンマドが生前に示した教えのスンナ、それを書き記したハディースは後世になって変えようがありません。

たとえば、飲酒の禁止はコーランに出てきますが、それを後の世になって、適量ならよいことにする、というような改変は不可能です。イスラムは、何事についても善悪を示します。少し細かく見れば、義務、推奨される行為、善悪不記載（許容される行為）、忌避すべき行為、禁止行為に分かれますが、禁止だった行為が許容される行為に変わることはありません。

ただし、新たに発生した事象やそれに伴う行為については、もとの判断基準がないので、イスラムの先生たちが、既存の規範に照らして判断することになります。

イスラムを純化しなくてはいけないという思想は、イスラムが誕生した当時から連綿とつらなるもので、中世のころにも、近代になってからも、登場します。簡単に言えば、それはコーランとハディースに従うだけでいいのです。この二つの法の源に立ち返れというのが、そもそも西欧から「イスラム原理主義」と呼ばれた運動です。ただしそれが、現実の政治のなかで大きな動きになるかどうかは、信徒を取り巻く政治環境に左右されます。

アルカイダが、巨大なテロ組織となったのは、オサマ・ビン・ラディンの祖国サウジアラビアの王家が、ムスリムにとっての二つの聖地の守護者でありながら、世界でムスリムを迫害するアメリカの軍事的な保護下に入ったことへの憤懣《ふんまん》が、多くの若者を惹きつけたからです。ビン・ラディンは大富豪の息子で、かなりの資金をもっていましたが、イスラム世界各地の大富豪も、彼の運動に共鳴して資金を提供していました。

イラクで生まれてあっという間にシリアに勢力を伸ばし、世界を震撼させた「イスラム国」もそうでした。コーランとスンナ（ムハンマドの生前の言行）に忠実に生きなければならない、イスラム世界を統率するカリフが必要だ、という彼らの主張自体は、過激でも暴力的でもありません。そんなことは、イスラムの原点だからです。彼らのことをサラフィー主義者と呼ぶことがありますが、サラフとは、ムハンマドが生きていたころの初期の「先人」のことです。

「時代が後になるほど社会が進歩する」という発想がない

イスラムでは、後代になるほど逸脱が起きるので、正しい信仰は初期の先人たちの時代にあると考えます。だから、「先人たちの時代に戻れ」という運動が、何度も起こるのです。

ここはイスラムを知るうえで大切な点ですが、イスラムには時代が後になるほど人間社会が進歩するという発想がありません。

欧米諸国から見ると、イスラム過激派の主張が、どうしようもなく復古的で後退的に感じられるのはそのためです。「あいつらは、人類社会の進歩・発展を認めようともしない遅れた連中だ」ということになります。

それにしても、1400年も前に神から下された啓示が、現代世界においても色あせないということがあるでしょうか。確かに、戦争と奴隷の扱いに関するルールなどは、今の世界で使えるとは思えません。しかし、本書冒頭で紹介した感染症対策などは、あまりに的確で驚くほどです。私は、今でも使えるルールだけを使えばいいと考えますが、そうではなく、コーランやハディースに出てくることはすべて実行するということにすると、それはムスリム自身にとっても難しいでしょう。

イスラム国誕生は、アメリカの身勝手な中東介入の帰結

イスラム国が登場したときの政治環境とはどんなものだったのか、振り返ってみましょう。

2003年に、アメリカがイラクの独裁者サッダーム・フセインの体制を倒すためにイラク戦争を仕掛けました。フセイン政権のイラクが大量破壊兵器を隠しもっているというのが開戦の理由でしたが、大量破壊兵器は見つかりませんでした。

フセインが残忍な独裁者だったのは事実ですが、それでも、偽りの理由で戦争を仕掛け、国を破壊するというのは蛮行です。しかし、アメリカはそれを認めず、アフガニスタン侵攻と同じように、新しいイラクを自由で民主的な国にするのだから、それでいいじゃないかと身勝手な理屈を押し付けました。このことも、アメリカが中東に手を出して、脆弱な秩序を壊した典型的なケースでした。

結果的に、イラクは分裂し、数で優位に立つシーア派が力をもちます。一方、スンニー派は

力を失います。イラク北部に拠点をもつクルド人たちは、アメリカの戦争を支持したおかげで、事実上の独立を勝ち取りました。イラク戦争に、国内で勝者がいたとすればクルド人とシーア派です。そして、不満を募らせたスンニー派のアラブ人たちのあいだから、極端に暴力的なイスラム国が生まれたのです。２０１４年からの数年、彼らは猛威をふるいました。

まず彼らは、アメリカの味方についたクルド人を激しく憎み、攻撃しました。クルド人は民族によって結束する傾向が強いので、その意味でも、極端にイスラムの純化を主張するイスラム国とはひどく相性が悪かったのです。クルド人の多いモスルを落とし、そこから隣国シリアへ攻撃を続けます。

ヤジーディーという、イスラムとは違う宗教に属すクルド人たちは、ひどい迫害を受けました。女性に対する性的暴行など、到底、許されるものではありません。イスラムが生まれたころの戦闘では、敵の女性を戦利品として奴隷にすることが許されていました。イスラム国の兵士たちは、空想的なまでに原点回帰を主張していましたから、それこそ、彼らを戦利品にした感覚だったのでしょう。

対立が複雑に入り組んだシリア内戦

シリアは内戦のさなかにあって、バッシャール・アサド大統領の政権が反体制派を激しく攻撃していました。1970年代の初めに父親のハーフィズ・アサドがクーデタで政権を取って以来、この国は、宗教とは関係のない独裁国家であり、近代国家です。政党も議会もありますが、実質は、極端に研ぎ澄まされた諜報組織と軍によってできているようなものです。

統治に使えるならイスラム指導者を味方につけることもありますし、即座に消すこともできます。細かいことを言えば、アサド家の宗旨はアラウィー派といって、スンニー派からは異端として差別的に扱われてきた少数宗派です。

だからといって、シリアの内戦が宗派抗争だということにはなりません。発端はやはり、長年にわたるアサド体制の独裁と強権に抵抗する市民の運動でした。政権側は、それを父の代から受け継がれた恐ろしい弾圧のノウハウを駆使してつぶそうとしました。

最初、政権に抵抗していたのは、自由シリア軍と呼ばれる組織で、イスラム過激派ではありませんでした。だから、欧米も最初はこの反体制派を支援していました。

ところが、イスラム世界では、あの「異端」のアサドがスンニー派を迫害している、これは一つジハードの戦いに行かなければならん、という声が広く沸き起こりました。

そこで、アルカイダやイスラム国や、そのほか諸々のイスラム武装組織が、アサド政権とのジハードの戦いに乗り出したのです。しかし、イスラム勢力同士も決して仲が良かったわけではなく、同士討ちが始まります。こうなると、欧米諸国は懸念を深めていきます。反政府勢力に宗教色がないかぎりは支援したのですが、イスラム武装組織が次々に登場したため、急に手を引きます。

なかでもイスラム国は、自分たちに同調しない組織はみな不信仰者の集まりだと言って攻撃をしたので、シリアはカオスに陥りました。アメリカだけでなく、フランス、ベルギーやイギリスは、自国の移民の若者たちがイスラム国に参加するために相次いでシリアに渡ったことに驚愕します。

若者たちは、ヨーロッパ社会の現状に不満をもっていたところに、ネット上で拡散していた極端に単純化されたジハード論に出会い、吸い寄せられていきました。デジタル化された社会のなかで、生きている実感をつかみたかった若者たちが、イスラム国のジハード・プロパガンダに惹かれたのです。

ヨーロッパ諸国もアメリカも、イスラム国をつぶさなければならないということで一致したのですが、シリアやイラクに地上軍を送ることには、みな消極的でした。残忍なイスラム国の犠牲になりたくない、シリアの内戦に手を突っ込んでも何も得られない……そこで、アメリカは現地の人間を使うことにします。

シリアの北部にもクルド人たちがいました。イスラム国は彼らを激しく攻撃し支配領域を広げていきます。イスラム国は、支配地域のムスリムに対して、自分たちのピュアで厳格なルールに従うことを求め、残忍な処刑を繰り返しました。実は、ここがアルカイダとイスラム国の違いです。アルカイダは、欧米諸国を敵として多くのテロを起こしました。イスラム国は、欧米諸国だけでなく、ムスリムを「不信仰者」「背教者」と断じて処刑したのです。

アメリカは、シリアのクルド人武装勢力を支援してイスラム国と戦わせました。当時のアメリカはオバマ政権です。彼は、無謀なイラク戦争に対して国民のあいだに厭戦気分が高まっているときに就任した大統領です。そこで、イスラム国の掃討にアメリカ軍地上部隊を出すことはせず、現地で彼らと戦うクルド人を利用したのです。アメリカを始め同盟国は、空爆によってクルド人部隊を支援します。そして、いくつもの激戦を制してイスラム国を破ったのはクルド人部隊でした。

このYPG（人民防衛隊）という部隊は、トルコで長年にわたって分離独立のための武装闘争を続けてきたPKK（クルディスタン労働者党）の兄弟組織でした。もとが共産主義のゲリラ組織ですから、イスラム色はありません。

PKKはアメリカ、EU、もちろんトルコによってもテロ組織に指定されていました。このことが、さらに隣国のトルコを巻き込んで、複雑な問題を引き起こすことになります。アメリカもEUも、イスラム国よりはマシだということで、民族主義の武装組織を利用したのですが、それが、トルコの安全保障に重大な脅威となったのです。イスラム国を倒すためにクルド民族主義を利用したら、今度は、トルコ民族主義と衝突することになってしまいました。

本書でも、シリアという国が実に多様な民族、宗教、宗派の共生の上に繁栄してきたことに触れました。現大統領の父ハーフィズ・アサドの時代も独裁体制ではありましたが、彼はこの多様性を温存してきました。しかし、ひとたび内戦に陥ると、世俗的な近代国家というものは徹底的に「敵」を滅ぼすことしか眼中になくなります。歴史のなかで育まれた講和の知恵も共生の知恵も、一掃されてしまったかのようでした。

上からイスラムで抑えつけても失敗する

ここまで、体制がイスラムに従わず、民衆の側からイスラムを求めて過激な行動に出るケースを考えてきました。

しかし、イランの場合は、これが逆になります。先にも述べたように、1979年に、それまで欧米寄りだったパーレビの王政を倒して、イスラム指導者が統治する体制に変わったことで、今度は、イスラムを上から押し付けるかたちで統治することになりました。それを望む人もいれば、望まない人もいます。

国の名前も、イラン・イスラム共和国となります。それから40年以上たちましたが、どうもこの統治はうまくいっていません。

これもすでに書きましたが、２０２２年の9月、マフサ・アミニさんという女性が、ヒジャーブの被り方が悪いという理由で、「道徳警察」に捕まり、その後、謎の死を遂げたことがきっかけで、抗議運動が全国に広がりました。

イスラム体制のイランでは、女性のヒジャーブ着用が強制されます。出してもよいのは、顔と手首から先で、後はすべて覆わなければなりません。身体についても、女性らしさが外に出ないように、ゆったりした長衣を身に着けます。

コーランやハディースには、どこを隠せという具体的な指示はありませんので、イスラム学者、なかでもイスラムの法解釈の先生たちが長いこと議論した結果です。法学者のなかには、出してもいいのは目だけという厳しい見解もありますが、イランでは、基本的に顔はよいが髪の毛は隠せということになっています。ただ、これを正しく着用しなかったからといって、罰則はありません。

ヒジャーブ着用はイスラムの教えですが、国がイスラムに従っていないかぎり、強制はできません。社会的な同調圧力はありますが、被らないからといって法律で処罰することはできないからです。

しかし、イランではそうはいきません。国の法体系がイスラムでできているので、イスラムの教えに従わないと、国の法律にも違反することになってしまいます。これを取り締まる「道徳警察」があるのもそのためです。

そうであるとしても、暴力的に取り締まることがイスラムの教えかと言えば、違います。少なくとも、ヒジャーブを着けなかった場合に、身体に罰を科すような規定はコーランにもハディースにも出てきません。

彼女の事件でクローズアップされましたが、これまでもイランではヒジャーブをいい加減に被る女性ならいくらでもいました。

女性の頭髪は性的な部位なので隠せというのが、もとの意味です。喉元やうなじも同様の理由で隠すことが求められます。ただ、実際には頭髪を出している女性はこれまでも多数いました。当然ですが、西欧を始め世界の多くの地域には、女性の頭髪は性的だから隠さないといけない、という感覚はありません。イランの女性たちも、そのことは当然知っています。頭髪をあらわにしたからといって、人間性にも道徳上も何の問題もないと確信する女性たちは、国が上からイスラムのルールを押し付けることに承服できません。

ついでながら、男性は膝の上から臍《へそ》までを隠さなければなりませんが、頭部を覆えというルールはありません。

しかし、イランであれだけ大規模な抗議運動が発生し、しかも、女性たちだけでなく男性も参加したということは、原因が単にヒジャーブだけではなかったことを示しています。むしろ、イスラム体制そのものに不満が爆発したと見るべきでしょう。

不満の背景に欧米諸国による経済制裁が一向に解かれない事情があることも、間違いありません。さらに注目すべきは、最初に犠牲になった女性はクルド人だったということです。イランでは、どうしてもイラン人の民族的な優越意識が強く、クルド人は差別的な境遇にあります。隣国のイラクでは、戦争の後に、事実上の独立を達成することができましたが、クルド人は、トルコ、イラン、シリアにもまたがって暮らしています。イラク以外の国では、どうしても「民族」による差別の問題が出てきます。

シーア派の国イランが抱える特殊事情

イスラムという宗教は、本来、民族を超越しているのですが、イランのようなシーア派の国では、特殊な事情があります。シーア派には、アラブ人もいればクルド人も、アゼルバイジャン人もいます。シーア派は、別にイラン人の宗教というわけではありません。しかし、イランという国について言えば、イラン人が支配的立場にいて、しかもシーア派によるイスラムの統治を上から押し付けることになりますから、クルド人は従属的な地位に置かれてしまいます。

イランを仕切るイスラム指導者たちは、このような民族的な優越意識から解き放たれていないように見えます。この点で、イスラム体制であるのに、イスラム的でないと見えるのです。

ウクライナ戦争が長期化するにつれて、イランはロシアに接近していきます。両者のあいだには、政治的なイデオロギーのつながりは皆無ですが、ともに、欧米、とくにアメリカ主導の価値の政治に反対する点で一致しています。イランの最高指導者ハメネイ師は、自分もロシアのプーチンのように、強者の統治をやると世界に示したいのでしょう。どうせ、西欧から好かれないのはわかっているからです。

多数を占めるスンニー派では、宗教指導者が現実の政治指導者と一致する必要はありません。歴史的に見ても、国王や皇帝が世俗の政治を仕切り、イスラム指導者は別にいて、必要な場合には政治にも宗教的意見を言うかたちになっていました。オスマン帝国でも、世俗の王であるスルタンが宗教的にあまりにひどいと、イスラム指導者が廃位を迫ることもありました。その一方で、酔っ払いのスルタンもいたくらいですから、宗教と政治の関係は、簡単には割り切れません。

第二次世界大戦後、西欧の国を模倣した「近代国家」として独立した後は、国の方がイスラムを政治から切り離したので、宗教とは関係のない独裁者ばかりが増えたことはすでに述べた通りです。

イスラム体制を捨てなくても、現状を変えることはできます。ただ、そのためには、強いイスラム指導者こそ強い国家を建設できるという考えを捨てなければなりません。このような考え方は、西欧だけでなく、周囲のスンニー派諸国からも支持されないことは明らかです。しかし、シーア派のイランにはできそうもありません。

第7章

ムスリムは西欧をどう見ているのか

ムスリムには西欧文明へのあこがれもコンプレックスもない

ムスリム（イスラム教徒）が西欧をどう見ているかを一言で言えば、「西欧文明」には関心がないということになります。現実のアメリカやEU諸国に対しては、好きなところもあれば、嫌いなところもあります。ただそれは、愛憎相半ばするというようなドロドロした情念とはまったく違います。

ビジネスチャンスを与えてくれるなら、そして家族で安心して暮らせるなら「良い場所」であり、信仰を理由に迫害されるなら「悪い場所」というだけです。

若い人たちは、西欧に自由の空気を感じます。イスラム社会では、タブーとなっていることも、SNSではいくらでも語られています。ヒジャーブもそうですが、誰も被っていないのですから、そこに自由を感じたとしても何の不思議もありません。逆に、髪をあらわにするのは、性を商品化するようで嫌だという女性もいます。

日本は、明治に入ると、国家が近代化と西欧化を同一視する政策を進めました。すぐに学校教育制度を整え、近代的な軍の制度を整え、行政・立法・司法制度を整え、西欧法を基本として法律をつくり、あらゆる分野の学問を西欧化していきました。そのスピードと熱意は驚くべきものでした。キリスト教も受容して、キリスト教系の学校も誕生しました。服装も、国家が率先して洋服にしていきました。音楽まで、西欧音階による楽曲を学校で教え、日本古来の音の世界は隅に追いやられてしまいます。

いわば、形も中身も西欧化を推進したのです。そして、西欧化は近代化であり、進歩であるという発想が広く浸透していくことになります。ですから、日本人の西欧観には、あこがれやコンプレックスがつきまとっていました。今の若い方は、ばかばかしいと思うかもしれません。

私の世代の人は覚えていると思いますが、小学生ぐらいから、ピアノを習わせようとする親は多くいました。それも今のように多様な音楽に触れさせるためではなく、もっぱら西欧のクラシック音楽の練習のためでした。何か、クラシック音楽を学ばせることに上流階級の嗜《たしな》みのような感覚があったのでしょう。大きなピアノに部屋を占領させてまで習わせようというあの情熱の背後には、やはり西欧に対するあこがれとコンプレックスがあったように思います。

ムスリムをやめるのは人間をやめるのと同じ

こういう情熱もコンプレックスも、ムスリムにはありません。

社会が進歩するという発想がないうえに、西欧がイスラム世界を力ずくで支配しようとしたことはムスリムなら誰でも知っています。一神教のイスラムを信仰している人が、イスラムより古い一神教のキリスト教に信仰を変えることは、よほどのことがないかぎり、ありません。

では、ヒジャーブなんか嫌だ、結婚前に付きあえない社会なんか嫌だ、というムスリムは「脱イスラム化」した人なのでしょうか。イスラムを捨てた人なのでしょうか。

そうとは言えません。イスラムは、すべての道徳の源泉です。高齢者に敬意を払うことや子どもにやさしく接すること、弱者・旅人にはやさしくすることなど。何も、ヒジャーブが嫌だからといって、こういう道徳まで捨てようとは思わない人が大多数です。

ムスリムをやめてしまうのは「人間をやめる」と言っているのと同じだと感じます。ですから「これはやりなさい」「これはやってはいけない」というさまざまな規範の一部には従わなくても、彼らはムスリムであり続けます。ここのところは、特定の信仰をもたなくても生きていくのに不自由を感じない人との大きな違いになります。

なぜ多くのムスリムが欧米に移住したのか

なぜ、現在にいたるまで、多くのムスリムが、アメリカやヨーロッパに移住していったのでしょう。

アメリカには人口のおよそ1%、350万人のムスリムがいるようですが、その数は増えています。西ヨーロッパを見ると、だいたい人口の4～5%のムスリムがいます。フランスが最も多く600万人、ドイツには400万人、イギリスにも300万人ほどのムスリムが住んでいると言われています。実数は難民の増加などによってすぐに変わってしまうので、あまり意味がありませんが、移住したムスリムはおもに都市部に住んでいますので、都市では相当に目立つ存在です。

　彼らは、働く目的、つまりお金が目的で移住したか、母国に住んでいられるような状況ではなかったので移住したかのどちらかです。基本的に、西欧の文化にあこがれて移住したのではありません。多くの労働移民がヨーロッパに向かったのは１９６０年代のことですが、その理由は完全に経済的なものでした。

　中東からアフリカにかけては紛争が絶えませんから、難民としてヨーロッパに向かう人もこの20年で急増しています。一言で言えば、母国があまりにダメだから移住したのです。

　確かに西欧諸国では、銃弾は飛んできませんし、地雷で吹き飛ばされることもありません。シリアのように自国の政府軍に攻撃されることもありません。ロシア軍の空爆にさらされることもありません。２０２１年までのアフガニスタンのように、アメリカ軍の攻撃にさらされることもなければ、アメリカ軍とタリバンの戦闘に巻き込まれることもありません。２０１４年から15年のイラクやシリアのように、イスラム国に処刑されることもありません。

　そこまでひどくなくても、経済発展が進まない、少数の富裕層だけが豊かな生活をすることができて、多くの民衆には経済的上昇の機会がない、そういう国はいくらでもあります。なんとか機会をつくって、ヨーロッパやアメリカ、カナダやオーストラリアに移住しようとするのは、経済的に合理的な行動です。これらの国々の方が、相対的に高い収入を得られたからです。それ以外にも、教育制度が整っている、基本的人権が保障されている、医療制度が整っている、自由があるなど、西欧社会の「進歩」を享受できることも移住のモチベーションを高めました。民主主義や人権の「理念」よりも、進歩的な社会の諸制度の方が、イスラム世界から移住したムスリムにとってははるかに驚きだったでしょう。

なぜ欧米に移住してもイスラムを捨てないのか

しかし、これらの長所によって「西欧化」したムスリムは多くありませんでした。

むしろ、暮らした年月が長くなるほど、西欧に暮らすメリットは享受しながらも、そこでムスリムとして生きる方がよいという選択をしていきました。欧米諸国に暮らしているからといって、イスラムから離れた生き方が必要だと思うムスリムは増えませんでした。

ムスリムは、どこにいようがムスリムです。ですから、フランスのように「公的な場で、あなたの宗教を出してはいけない」などと言われると、ムスリムは理解できません。敬虔な人にとって、イスラム教徒としての実践（ヒジャーブ着用はその典型ですが）をやめろと言われるのは大変な苦痛です。「人間やめろ」と言われているのと同じだからです。

他方、イスラムのルールなんて息苦しくて嫌だと感じているムスリムもいます。彼らにとっては、規制のない国にいる方がずっと気楽ですから、同化していきます。欧米諸国に移住したムスリムにも、その両方がいるのです。

それでも、イスラムを捨てて無神論者になる人の数はごくわずかです。日本で言う「無宗教」とは違います。西欧で言う無神論者とは、神の存在と宗教を積極的に否定する人のことです。

だいぶ以前に、オランダで、「どんなときに、ムスリムでよかったと思うか」と、ムスリムの移民に尋ねたことがあります。答えは意外なものでした。「オランダのテレビで不倫のドラマを観たとき、自分がムスリムであることを神に感謝した」と言うのです。

家族の絆を大変重視するムスリムは、不倫の愛などを堂々と見せつけられると、嫌でたまらないと感じるのです。日本では、不倫を「禁断の愛」と言いますが、ふつうのムスリムの感覚では「醜悪な罪」でしかありません。

先にも述べたように、1990年代の初めに湾岸戦争が起きました。独裁者サッダーム・フセインのイラクが、突然、隣国クウェートは俺のものだと言い出して侵攻したのに対し、アメリカを中心とする有志連合軍がイラクを攻撃して戦争になったのです。アメリカのCNNというテレビ局は、戦争の様子を中継で流しました。

イラク軍が蹴散らされるだけでなく、アメリカ軍のミサイルが雨のようにふりそそぐありさまに、友人のトルコ人はひどく怒っていました。ミサイルが、独裁者とその手下の頭上に落ちるなら、彼らはなんとも思いません。しかし、ミサイルや爆弾は多くの罪のないイラク人を犠牲にしました。独裁者を攻撃するために、独裁者のもとで暮らす弱い立場の市民も犠牲にする――こんな無法があるか。これが欧米、西欧に対する怒りの根源です。ちなみにこの友人はムスリムでしたが、信仰実践にはまったく熱心ではありませんでした。

こういう日常の違和感が、イスラムを人生の軸にしていこうとする原動力になっていることに、西欧社会の人たちは気づく必要があります。ただ、西欧社会はその現実を見ようとしません。

移住先で連帯することはなかった第一世代

私たちが、在日外国人について、最も話を聞くのは在日コリアンのケースです。彼らは、民族的アイデンティティで自らの存在を語るので、私たちは、ともすれば「民族」の違いを絶対的なものだと考えてしまいます。在日コリアンの場合は、深い歴史的関係、支配と被支配の歴史がありますから、それは当然のことです。

一方、西欧社会に暮らすムスリムの場合、出身国、あるいはその民族の絆を大切にすることはありますが、受け入れた国の社会に対して、「民族」でモノ申してもあまり効果的ではありません。

日本と違って、イギリスもフランスも第二次世界大戦の勝者です。彼らは、戦後になってから、貧しい旧植民地からの移住者を「受け入れてやった」のであって、過去の支配に対して、負い目など感じていないからです。

イスラム世界からの移民で、移住した先の国で「民族」を軸に問題を提起したのは、フランスのアルジェリア出身者ぐらいかもしれません。フランスはアルジェリア独立戦争の際に、アルジェリア人たちを自分たちの味方にしようと散々工作しました。独立が達成されたとき、いわば祖国を裏切ったアルジェリア人たちを、フランスは受け入れざるを得ませんでした。しかし、フランスで暮らすようになって、実際には二級市民扱いされたことで、彼らの不満はしばしば爆発しました。

イギリスに行ったインド、パキスタン、バングラデシュの人も同じです。イギリスは旧植民地（現在は英連邦）出身者を、ある種、特権を与えてやるというかたちで労働者として受け入れました。イギリスの場合、フランスと違って、文化的な同化を迫りません。これはイギリスの特徴です。そのため、イギリスに渡ったインド人やパキスタン人は、自分たちの文化を維持することが認められていました。宗教についても維持することができます。

このやり方は結果的に移民たちにも社会的・経済的地位の上昇を保証してきました。今や首相のリシ・スナクはインド系でヒンドゥー教徒、ロンドン市長のサディク・カーンはパキスタン系でムスリムです。

これに対して、ドイツは植民地をほとんどもっていませんでした。ドイツに行ったトルコ人は、最初から雇用双務協定をベースに出稼ぎに行った人たちなので、嫌なら帰ればいいということにしかなりませんでした。

西欧諸国の側は、安い労働力として、出身国にこだわらずに受け入れたので、初期の段階では、「いずれかの民族を差別的に処遇する」ことは考えていませんでした。格差は、受け入れ国の市民と移民労働者のあいだにあるのであって、インド人だから、トルコ人だから差別の対象にされたのではないということです。

受け入れ国による差別がムスリム移民の連帯を生む

ただ、いずれにせよ、なかなか平等には扱われませんでした。いわば二級市民の扱いだったのは、イギリスのインド、パキスタン系移民も、フランスのマグリブ（北アフリカ）系移民も、ドイツのトルコ系移民も同じでした。

移民たちが定住するようになってくると、差別が顕在化していきます。とくに、受け入れ国の景気が後退すると、差別はひどくなりました。この場合、ヨーロッパ社会の側はまず、「外国人は社会保障にただ乗りしている」という非難を始めます。

それが、次第に多くを占める民族集団、たとえば「トルコ人」や「アラブ人」を名指しして差別するようになります。

そして2001年にアメリカで9・11同時多発テロが起きると、今度は「ムスリムの移民」を名指しして差別をするようになったのです。

多くの移民を受け入れた西ヨーロッパ諸国の社会保障は充実しています。景気が悪くなったからといって、合法的に暮らしている移民を母国に追い返すことはできません。移民が失業して失業手当を受け取ると、受け入れ国の側から不満が出てきます。自分たちが払っている社会保険料で手当をもらって、のうのうと暮らしているというのです。しかし、失業したら十分な手当をもらえるのは、国民と移民とを労働者としては平等に処遇したことの結果です。移民の方が、どうしても「景気の調整弁」として失業しやすかったから、そういうことになりました。

1960年代から2000年代に入るころまで、移民たちは景気がよくなって労働者が不足すると重宝され、悪くなると疎まれるということの繰り返しでした。働きに来た移民の側も、移住先のヨーロッパ社会には関心をもたず、お金を稼ぐことしか眼中にありませんでした。そのあいだに、子から孫の世代へと、移民も代替わりしていきます。

こういう歴史のなかで、移民たちを一つの民族集団、たとえば「トルコ人」とか「アラブ人」で括ることは意味を失っていきます。ふつうは、アラビア語を話す人をアラブ人と呼びますが、チュニジア出身の人とイラク出身の人を同じ「アラブ」でひと括りにできるかと言えば、それは無理です。彼ら自身も連帯感を抱いてはいませんでした。

移民を受け入れた側も、はっきり言って、両者の違いには関心もなく、どちらも母国が経済的に遅れているから進んで出稼ぎに来て居着いた人、ぐらいにしか思っていませんでした。

それが、21世紀に入って「ムスリム」が疎まれ、憎まれるようになると、大きな変化が生じます。初めて、「同じ」集団だという意識が生まれたのです。もちろん、ムスリム移民のすべてが連帯意識をもったわけではありません。イスラムから遠のいている人もいるからです。しかし、若い世代のなかには、チュニジア人だろうと、スーダン人だろうと、トルコ人だろうと、「同じムスリムだ」という強烈な意識が生まれてきました。

1990年代からすでにその傾向はあったのですが、2000年代に入ると、第一世代の親たちではなく、第二世代以降の移民に、イスラムの絆を重視する強い意識が生まれてきます。この傾向は、非常にゆがんだかたちで爆発的に表れました。ネットのなかでのジハード戦士のリクルートです。

イスラム国は、みごとなまでにネットを使いこなして、ヨーロッパ各国のムスリムの若者を引き込もうとしました。周囲のヨーロッパ社会に完全に背を向けた彼らがシリアに渡って戦闘員になり、ヨーロッパでテロを起こしたことは、ヨーロッパ社会を震撼させました。今は下火になっているようですが、ムスリム移民の疎外という問題の構造が変わらないかぎり、また、繰り返される危険があります。

経済的に成功しても価値観や生き方は変えない

今では、ムスリムが最初に外国人労働者として移住してから半世紀以上がたっています。ヨーロッパにせよ、アメリカにせよ、移民にオリジンをもつ人の二世や三世のなかには、経済的に上昇した人も、もちろんいます。

では、彼らが西欧化したのかと言えば、そうはならなかったと言ってよいでしょう。あくまで、ビジネスチャンスをつかみ、経済的に豊かになったというだけで、身も心も西欧文明に捧げたかと言うと、多くの人はそうではありません。

ムスリムの場合、他の宗教の信徒と比べて、生きるうえでの背骨として信仰をもっている人が多いと思います。経済的に成功した人であっても、文化的な価値観や生き方については、むしろ、西欧に背を向けるようになっています。

新型コロナウイルスのワクチンをいち早く開発したのはドイツのビオンテック社でした。私たちが「ファイザー社製」として知っているワクチンは、実は、ビオンテック社とファイザー社の共同開発です。このビオンテック社の最高経営責任者と医薬部門の責任者は、ウール・シャヒン、オズレム・テュレジというトルコ系移民の二世の夫妻です。

ワクチン開発の成功で二人が話題になったとき、ドイツのテレビ局がインタビューして、「祝杯をあげましたか」というような質問をしていました。夫のウール・シャヒン博士は、「私たちの文化ではお茶をよく飲みます。妻と静かにお茶を飲んで喜びたいと思います」と答えていました。

こういうことなのです。別にイスラムがどうこうという話をしたのではありませんし、彼らが酒を飲まないかどうか、私は知りません。ムスリムなのかどうかも知りません。

夫妻は暗に、欧米なら誰もが、こういう成功にはシャンパンで乾杯し、バカ騒ぎをするだろうと思うだろうが、自分たちはそんなことまで真似はしないと、語りたかったのかもしれません。

二人とも50代ですから、子どものころにはずいぶん苦労してドイツの学校で勉強したはずです。科学の世界には、出自も民族も宗教も関係ありません。業績の基礎となった科学や医学はドイツで勉強しているし、コロナ禍から人類を救うような大きな仕事をしても、ウール・シャヒン博士の語り口には、自分を西欧化したエリートに見せるようなところが全然ありませんでした。

ところで、ドイツのメディアも政治家も、彼らをトルコ系ともトルコ人とも言いません。「ドイツの科学者」として扱います。これだけの功績を上げたのですから当然ですが、多くのトルコ系移民は、そういう扱いが「偉くなったときだけ」であることを知っています。

第8章　西欧はなぜイスラムを嫌うのか

イスラムが生まれたときから続く「イスラモフォビア」

現在の世界ほど、西欧側からのイスラムに対する嫌悪感が強い時代はありません。イスラモフォビア（Islamophobia）はなじみのない言葉かもしれません。もともとゼノフォビア（xenophobia）、外国人嫌悪という言葉はありました。そこからの連想でつくられた用語です。現在、欧米諸国では、移民や難民に対する嫌悪感の高まりを受けて、ゼノフォビアとイスラモフォビアが重なり合って出現しています。

西欧のイスラム嫌悪は、それこそ、イスラムが生まれて間もないころからあります。キリスト教が誕生して600年もたってから、別の預言者によって新しい一神教が生まれたと言われても、キリスト教徒は、そんなものはインチキに違いないと思ったでしょう。

すべてはそこから始まりました。十数回にわたる中世の十字軍が実際に何を目的にして何をしたのかは別の話ですが、十字軍を駆り立てたモチベーションは、ムスリム（イスラム教徒）の支配下にあった聖地エルサレムを奪回することにありました。

そして、東方のキリスト教の中心だったビザンツ帝国がオスマン帝国によって滅亡させられたことは、イスラム脅威論とトルコ脅威論が重なり合って出てくるきっかけになりました。

ビザンツ滅亡とイスラムの野蛮さを結びつける話が、2006年に突然よみがえりました。

当時のローマ教皇ベネディクト16世が講演で、「信仰というのは理性で広めるべきであるのに、イスラム（預言者ムハンマド）は、剣を用いて邪悪と冷酷で信仰を広めた」という、600年も前のビザンツ皇帝の言葉を引用したのです。

驚きました。私たちにとっては、世界史の授業で習うような昔の話が、まだ生き生きと語られるのです。それも、キリスト教会の頂点に立つ教皇がイスラムをいかに敵視しているかという例として。この教皇の発言は、世界のムスリムを驚かせ、怒らせました。

教皇の発言は撤回できません。カトリックの頂点に立つ教皇は、神の代理人とされ、間違ったことは言わないことになっているからです。教皇庁は、イスラム世界の怒りに「遺憾の意」を表して逃げ切ろうとしましたが、この発言は、キリスト教会の立場からのイスラム嫌悪を象徴する事件になってしまいました。

ビザンツ帝国を滅ぼしたオスマン帝国が西に向けてヨーロッパ遠征に出ると、これも当然ながら、キリスト教西欧から激しい反発を受けました。なかでも、16世紀と17世紀の2回、ウィーンを包囲するところまでいったことは、現在まで続くヨーロッパのトルコ嫌いの原点となっています。

その後、ヨーロッパ列強諸国は、イスラム圏の多くを植民地にしていきます。19世紀から20世紀の前半まで、イスラム世界は西欧の圧倒的な力によって支配されることになりました。第二次世界大戦後、疲弊したヨーロッパは植民地を手放します。イスラム圏のほとんどは独立し、そこで西欧を模倣した国づくりをしました。そのころ、西欧はイスラム世界に対して圧倒的優位に立っていましたから、イスラム嫌悪は表面化しませんでした。

それから40年ほどたち1980年代に入ると、イスラム世界で急速に「イスラム復興運動」が広がります。イスラムを政治から切り離して世俗的な国にすることが近代化だと言われてきたことに対して、かなり激しい反発が起きたのです。イランで親欧米の国王が追放され、イスラム体制に変わったこと、エジプトのサダト大統領がイスラム過激派に暗殺されたこと、そしてアルジェリアでイスラム過激派が大暴れをしてひどい内戦に陥ったことに続いて、各地で、西欧化した国への抵抗が起きたことはすでに書いた通りです。

アメリカがことの重大さに気づいたのは、イランでイスラム革命が起き、テヘランのアメリカ大使館が暴徒によって占拠されたときです。「彼らは何者なんだ？　ただのムスリムじゃない。イスラムの教えに凝り固まった『原理主義者』だ」と言われるようになったのもこのころでした。ヨーロッパの方は、地理的に中東・イスラム世界の隣にありますから、身近な脅威だと感じていました。冷戦が終わったとたんに、ボスニアで紛争が起きましたが、大変な犠牲者を出したボスニアの人びとはムスリムでした。

イスラム嫌悪とイスラム脅威論の両方が劇的に高まったきっかけは、9・11同時多発テロでした。

そこから先は、西欧とイスラム世界の関係は坂道を転げ落ちるように悪化していきます。2004年にはスペインのマドリード、05年にはイギリスのロンドンで大規模なテロが発生しました。

アメリカが、イラク戦争を起こしたことが、これらの激しい反発の原因だったと言われています。ヨーロッパのムスリムは、イラクの独裁者サッダーム・フセインがどうなろうと知ったことではありませんでした。しかし、連日のアメリカの空爆で、多くの民間人、とくに、イスラムで大切にする母親や子どもが犠牲になったことに激怒したのです。

テロ事件そのものは、その後いったん収まりましたが、2015年以降になるとフランス、イギリス、ドイツ、ベルギー、スウェーデンなど各国で起きるようになりました。

逆に、イスラム嫌悪によるヘイトクライムも大変な勢いで増えていきました。ヘイトクライムの方は、日常的、かつ個人をターゲットに起きるものですから、事件としてクローズアップされたケースは多くありません。ただ、実際に発生した件数で見ると膨大な数に達しています。

2010年以降になると、ヨーロッパは移民や難民の多さにひどく苛立つようになっていったのです。その結果、移民や難民が襲撃される事件が頻発するのですが、それがイスラム嫌悪によるヘイトクライムなのか、移民嫌悪あるいは外国人嫌悪によるヘイトクライムなのか、区別できなくなっています。

過激派テロが多発したのは、シリア内戦を放置したから

２０１５年から18年ぐらいにかけて、ヨーロッパが「イスラム過激派のテロ」に見舞われたのは、端的に言って、シリア内戦を放置した結果でした。２０１１年に始まったシリア内戦で家を失い生活ができなくなった人たちおよそ６００万人が、国境を越えて、隣国のトルコ、レバノン、ヨルダンなどに逃れました。トルコは最大で４００万人ものシリア難民を抱えましたが、そのうち１００万人以上が、２０１５年にエーゲ海を密航してギリシャに渡り、そこから陸路でドイツを目指しました。

ＥＵ諸国は、日ごろ、何かとマイノリティの人権を重視すると言いながら、このとき、パニックに陥ります。どの国でも、難民を規制しろ、ヨーロッパにムスリムの居場所はない、入れてもいいがキリスト教徒だけにしろ……と、非難の大合唱でした。

この非難は、自国の政府だけでなく、シリアの隣国で最も多くの難民を抱え、かつ、ヨーロッパに接しているトルコにも向けられました。

シリア難民の多くはムスリムでした。シリア内戦を逃れた人たちだけでなく、一向に軍事衝突が収まらなかったアフガニスタン（２０１５年当時のことなので、アメリカ＋ＮＡＴＯ軍＋

アフガン政府軍vs.タリバンの戦闘）やイラクから逃れた人も地続きのトルコで合流し、結局、多数のムスリムが難民としてＥＵに殺到したのです。

ヨーロッパの多くの国で、反イスラム、反移民、反難民を掲げる政党や市民団体が結成されました。ドイツでは、ＰＥＧＩＤＡ（ヨーロッパのイスラム化に対抗する愛国的ヨーロッパ市民）という名の市民団体が急激に勢いを増し、ＡｆＤ（ドイツのための選択肢）という政党が、２０１７年の連邦議会選挙で大躍進しました。その後この政党の勢いは衰えましたが、それでも、ドイツ東部地域では強い勢力を維持しています。

フランスの大統領選挙では、極右の候補者マリーヌ・ルペンが決選投票に残りました。極右が反イスラム、反移民を掲げるのは、だいぶ前からのことですが、問題は、大統領のマクロンまで、排除の言説に加担していることです。実は、フランスに限らず、多くのヨーロッパ諸国で、保守の政治家や左派の政治家が、極右の台頭を恐れて、反イスラム、反移民の姿勢を積極的にアピールするようになってしまいました。これは深刻な問題です。

反イスラムを掲げても、誰もそれを差別として批判しなくなってしまいました。そして、ヨーロッパには、新たに流入した難民よりもはるかに多くの移民出自のムスリムが暮らしています。こうして、イスラモフォビアは隣人としてのムスリムに向けられることになりました。これは、外国人への憎悪（ヘイト）に他なりません。でも、誰も、そのことを言わないのです。

こうして、イスラモフォビアはヨーロッパで最高潮に達しました。そんなヨーロッパ社会に絶望した難民申請者のなかから、自暴自棄に陥ってテロを起こす人が出てきました。イラクとシリアであっという間に支配を拡大したイスラム国の戦闘員が、難民の流れに混ざってヨーロッパに入り、テロを起こしたケースもありました。

2015年11月のパリでの同時多発テロ、16年3月のブリュッセルでのテロ、7月のフランス、ニースでのテロ、12月のベルリンでのテロなど、本当にひどい事件が続きました。

テロと言っても、背後関係や動機はほとんど明らかになっていません。容疑者がその場で射殺されてしまうことが多かったからです。ここでは、何の悪意もなく暮らしている市民を突然恐怖に陥れ、傷つけ、命を奪う行為をテロと呼びますが、注意を払わなくてはいけないことがあります。内戦や戦争を逃れた人のなかには、彼らの母国やその同盟国の空爆によって家族を奪われた人が大勢います。彼らにとっては、国家による攻撃も、突然、生活と家族の命を奪うのですから、テロと同じことです。

当時、テレビなどで解説をしますと、国家による戦争とテロリストによる攻撃を一緒にするなと批判されたものです。しかし、私は少数派であっても、考えを変えるつもりはありません。何の悪意もなく生活を送っている市民の頭上にミサイルを落とす行為も、コンサートを聴いている聴衆を突然銃撃することも、どちらもテロです。

惨劇の続いた数年は、コロナ禍の始まりとともに、終わりました。いったん停止したのか、それとも本当に終わったのか、そこはまだわかりません。

世俗国家をうたいながらEU加盟が認められないトルコ

国単位で見ると、今、ヨーロッパとアメリカの双方から敵視されがちな国の一つがトルコです。

トルコに対する嫌悪は、非常に根の深いものです。その原因をいくつか拾い上げてみましょう。オスマン帝国時代にバルカン半島から中部ヨーロッパまで支配したこと、帝国末期のアルメニア人の大規模な追放と殺戮《さつりく》、クルド人武装勢力との長年の戦闘、ヨーロッパ各国に定住しているトルコ系移民のなかに同化に背を向けイスラムに回帰する人が増えたことなどが挙げられます。

トルコは半世紀以上前、今のEUの前身にあたる組織に加盟を申請して以来、ヨーロッパの一員になろうとしてきたムスリムの国です。私は30年以上、この国を見てきましたが、2000年代に入って、レジェプ・タイイプ・エルドアンが率いる公正発展党政権が誕生してから、ずいぶん民主化が進みました。

それまでも民主的な制度はあったのですが、軍が政治的にも強い力をもっていて、政治が混乱するとクーデタのような手荒な手段で民主主義を止めていました。２０００年代に入ってからも、しばしば軍の政治介入を招きかねない危機がありましたが、エルドアン政権はなんとか、それを抑え込んできました。

トルコは、人口の大半をムスリムが占めているのに、憲法で明確に「世俗国家」であることをうたっている国です。しかも、世俗の国、つまりイスラム法を適用することができないというのは、憲法の改正不可条項ですから、イスラム主義的な今の政権ができた後も、酒をつくることも、飲むことも認められています。姦通は、民法上の不法行為になりますが、刑法上の罪にはなりません。

ＥＵは、このあたりのことをもっと評価してもよいと思うのですが、認めようとしません。２００５年からは、ＥＵへの正式加盟交渉に入っているのですが、すでに18年、交渉は遅々として進んでいません。トルコとしては、西欧とイスラムの架け橋になろうと努めてきたのですが、９・11同時多発テロ以後、ヨーロッパ社会の側にあっという間に反イスラム感情が広がり、トルコに対する嫌悪が強くなってしまいました。

ヨーロッパ各国の市民のあいだでは、トルコ国民の大半がムスリムだからＥＵにはふさわしくないという意見が増えました。右派のポピュリスト政治家たちは「ヨーロッパにムスリムの居場所はない」というようなことをはっきり言うようになりました。ヨーロッパ社会のなかのイスラムをめぐる問題が、ムスリムの大国トルコはＥＵにふさわしくないという結論につながってしまったのです。

トルコは、イスラム圏の国としては非常に異例なのですが、長らく公の場所でのヒジャーブの着用を禁止していました。公の場で宗教を出してはいけないという厳格な世俗主義を守っていたからです。現在の政権になってから、ようやく、ムスリムが信仰に従って生きる自由を認めたので、今では、ヒジャーブを身に着けたい人は頭部を覆いますし、隠したくない人は覆いません。

民主化とマイノリティの権利擁護は、ＥＵとの加盟交渉に入る前の絶対条件でした。コペンハーゲン基準と言いますが、まず、これをクリアしないことには、加盟交渉開始の日取りを決めてもらえない仕組みになっています。２００４年、ヨーロッパ理事会は満場一致で、トルコがマイノリティの人権、法の支配、民主化などについて条件をクリアしたと認め、２００５年10月からの加盟交渉開始を決めました。これは、２００２年に誕生した公正発展党のエルドアン政権による成果でした。

ところが、加盟交渉が始まるころに、ドイツ、フランス、オランダ、デンマーク、オーストリア、ギリシャ、キプロスなどが、別の条件を持ち出して交渉をブロックしてしまったのです。詳しく触れる紙幅の余裕はありませんが、２００４年に先に加盟したキプロスを、トルコが承認していないことが表向きの理由でした。しかし、キプロスの承認は加盟交渉開始の条件ではありません。

実際には、エルドアン政権のイスラム主義的な性格への嫌悪、これ以上、ヨーロッパにトルコ系移民が溢れるのは嫌だ、ヨーロッパはキリスト教の社会であるべきだという世論に押されて、各国の首脳が一斉に後ろ向きになってしまったのです。

「アヤソフィア」モスク転用への批判に理はあるのか

2020年になると、欧米諸国によるイスラム嫌いとトルコ嫌いを象徴するようなことが起きました。イスタンブールにある世界遺産の教会アヤソフィアが博物館からモスクに転用されることになり、欧米諸国が一斉にトルコを非難したのです。

トルコは世俗主義の国なのに、なぜ、博物館としてきたアヤソフィアをイスラムのモスクにするのか。そんなことならユネスコの世界遺産から外すべきだと批判を浴びました。エルドアン大統領は強権的なイスラム主義者だから、世界遺産であるアヤソフィアをモスクに変えたのだというのが、日本も含めてほぼすべてのメディアの論調でした。イスラム嫌悪とトルコ嫌悪の合体です。

これは、トルコへの嫌悪ではない、エルドアン大統領への批判だと欧米のメディアは主張していました。では、アヤソフィアがモスクになったことを喜ぶ民衆は、なんだったのでしょう。強権化した大統領に動員された愚かなムスリムなのでしょうか。

私も、正直に言えば、あれだけモスクがたくさんあって、またモスクを増やすのか……とは思いました。なにしろ、アヤソフィアの真向かいには、これも有名なスルタン・アフメット・モスク（通称ブルー・モスク）があります。でも、アヤソフィアも、ムスリムの財産です。博物館だったところが立派なモスクとなり、そこで祈りを捧げることを喜ぶムスリムの姿は、そのまま受け入れたいと思います。

「アヤソフィア」の名前で知られるこの建物は、もともとビザンツ帝国時代の教会でしたが、オスマン帝国がイスタンブールを征服した後、モスクになりました。モスクにしたと言っても、後から尖塔（ミナレット）を足しただけで、基本的な建物は残されていました。

博物館に転用されたのは、１９３０年代、今のトルコ共和国の初代大統領、ムスタファ・ケマル・アタテュルクの時代です。それから、モスクにされたときに塗り込められたキリスト教の聖像などが復元され、ビザンツ帝国の貴重な遺産として世界遺産に登録されたのです。

博物館に転用されたときの手続きに法律上の問題があるということで裁判が起こされ、２０２０年、最高裁はモスクに戻すという判決を下しました。モスクと周辺の学校、バザールなども含めて、寄進された財産の管理は法律で決まっていたのですが、初代大統領がその手続きを省いて、閣議で博物館にすることを決めてしまったようです。それが80年ぶりに審理された結果、もとのモスクに戻されたのです。

欧米諸国はなぜ、この話でそれほど騒いだのでしょう。モスクに戻したらビザンツ帝国時代のキリスト教のモザイク画などが破壊されるのではないかという声がありましたが、ありえないことです。トルコ政府は、アフガニスタンのタリバンではありません。ユネスコにも参加していますから、世界遺産の保全が必要なことぐらいわきまえています。

モスクになったら、キリスト教の偶像は隠されてしまうのではないかという不満が出ていましたが、もちろん、そんなことも起きていません。イスラムの礼拝の時間には、イエスやマリアなどの聖像を覆うだけです。礼拝の時間には観光客は入れませんが、それは、ブルーモスクのような他の世界遺産のモスクと同じです。そして、観光客は、博物館だったころと違って、入場料を取られることもなくなりました。いまや、礼拝に来る人と観光客で、以前にも増して大いに賑わっています。

宗教施設にしたら、万人のものであるべきユネスコの世界遺産にふさわしくないという批判もありましたが、これはまったく頓珍漢な指摘です。京都の寺社群を見ればわかるように、対象が宗教施設であることと世界遺産は関係ありません。

この件についての欧米諸国の批判は些細なことだったのでしょうか。私にはそうは思えません。強権的で、自由と民主主義を損なう大統領を批判するのは当然じゃないか。それはトルコ人のためでもある。そう言いながら、本質としては、トルコとイスラムを一緒にして批判する（今の言葉で言えば「ディスる」というところでしょうか）ことが、あまりに常態化していると私には思えます。

批判の声はいくらでもあげてよいのですが、批判の根拠をあいまいなものにしてはいけません。あいまいなままに、ざっとこんなことだろうと言って批判するのでは、単なるヘイト（嫌悪）と何も変わらないからです。

典型的イスラム批判に対するムスリムの言い分

イスラモフォビアの認識論的な問題は、西欧の側が自分たちの価値の体系に照らして、イスラムを劣った存在、ムスリムの思考様式を遅れたものとみなすところにあります。遅れているとみなさないと気が済まないという嫌い方です。

この姿勢を改めないかぎり、「文明間の対話」や「共生」など、率直に言って絵空事にすぎません。

これは、人種差別や民族差別にも通じる感覚です。人間集団と人間集団のあいだに線を引いて、集団丸ごと「上」か「下」か、それを決めたがる心性と言ってもいいでしょう。こういうふうに言うと、必ず次のような反論が返ってきます。

「イスラムは個人の自由を認めない」
「イスラムは女性の人権と自由を認めない」
「イスラムは暴力を肯定している」
「イスラムは民主主義を認めない」
「イスラムには言論と表現の自由がない」
「イスラムは同性愛を認めない」
「イスラムは不倫ぐらいで死刑にする」
「イスラムは酒を飲んだぐらいで鞭打ち」
「イスラムは女子教育を認めない」
「イスラムは一夫多妻を認めている」
「イスラムは女性だけにヒジャーブを被らせる」

まだ、ほかにもありますが、挙げるときりがないので、このくらいにしておきましょう。ムスリム側の反論を、一応、簡潔に紹介しておきます。

「イスラムは個人の自由を認めない」

［反論］アッラー（神）が許したこと、あるいは善悪がコーランやハディースに記されていなければ、やっても、やらなくてもいいことになります。そういう行為は「自由」。アッラーが示したルールの範囲の中で自由を享受するのです。

「イスラムは女性の人権と自由を認めない」

［反論］認めていますが、これも神の定めた内容と範囲でのこと。イスラムは、男性には男性の権利と義務、女性には女性の権利と義務を明示しているので、それを変えることはできません。その内容は、コーランやハディースに書かれていますが、西欧社会のように、形式的平等、つまり男性と女性が同じ義務を負い、同じ権利をもつという発想はイスラムには存在しません。

「イスラムは暴力を肯定している」

［反論］ムスリムの社会が迫害を受けている場合には、戦うことが義務。ジハードが戦闘の意味で使われるのはその場合です。しかし、実際に戦闘でジハードに乗り出す人間など1万人に1人もいません。他方、理由のない殺人が厳禁され、一人を殺すことは万人を殺すのと同じという厳しい言葉がコーランにありますから、テロ行為など、まったく認める余地はあ

りません。

「イスラムは民主主義を認めない」

［反論］原理的に言えば、イスラムと民主主義が両立しないのは確かです。民主主義というのは、そのときの多数派が議会で「法」をつくれることを意味します。「法」は善悪の基準になります。しかしイスラムでは「法」はアッラーの言葉によって定められたルール以外にないので、人が「法」をつくることはできません。したがって、民主主義は神の権能を人が奪うものになってしまいます。ただし、現実のムスリムの国々は、イスラムに従って国をつくっていないので、民主主義に従うことは可能です。むしろ民意を反映した政治をするべきだという考え方は、当然のようにムスリムももっています。ムスリムが多数を占める国であっても、イスラムの法体系（シャリーア）に従わないのなら、民主国家にすることは可能ということになります。

「イスラムには言論と表現の自由がない」

［反論］これも神の定めた範囲の自由はあります。しかし、禁じられていることについて、表現の自由はありえません。預言者への侮辱は、完全に悪意の挑発とみなされます。

「イスラムは同性愛を認めない」

［反論］禁じているのは同性愛ではなく、婚姻関係以外で行われるセックスです。イスラム

は行為や発言として表れるものについて、やってもいいとか、いけないとかを決めますが、人の内面には立ち入りません。ただし、異性間でないと婚姻が成立せず、セックスは男女の性器の結合のことだと規定しています。したがって男性間のセックスは禁じられ、姦通となります。女性同士の場合は姦通が成立しません。

「イスラムは不倫ぐらいで死刑にする」

［反論］不倫には死刑が科されます。不倫という関係のことではなく、婚姻外のセックス（姦通）を死刑にするのです。これは神の命令としてコーランで禁止されているので、人間（信徒）とアッラーとの重要な約束（契約）です。その契約を破ると死刑にすることが決められていて、人間は量刑を変更できません。ただし、この刑を執行するには、イスラム法を国家の法とするイスラム国家であることが必要です。そのような国家は、今の世界には、イランやアフガニスタン（タリバン政権）やサウジアラビアなどを除くとほとんど存在しないので、実際には刑を執行するのは困難です。

「イスラムは酒を飲んだぐらいで鞭打ち」

［反論］不倫と同じで、これも信徒とアッラーとの約束です。当時から、酒を飲みたがる人が信徒にもいたことはわかっていて、酔うと理性を失って悪いことをするので禁じられたのです。飲酒の禁止は理由が明示されています。これも、人間（信徒）とアッラーの契約で、

一線を越えてはいけないものにあたり、鞭打ちの刑が決められているので、人間は量刑を変更できません。もちろん、イスラム法が国の法律になっていなければ罰することはできません。

「イスラムは女子教育を認めない」

［反論］禁止する規定はありません。むしろ、家父長制的な社会が女子教育を否定し、現場のイスラムの先生（イマーム）がそれを追認してしまうために、女性が教育機会を奪われることが多いのです。

「イスラムは一夫多妻を認めている」

［反論］認めています。ただし、コーランでは、孤児の身を案じるなら、４人まで女性と正規の婚姻関係を結べると言っているだけです。男性の野放図な性欲のために認めているわけではありません。そして、すべてにわたって妻の地位は平等となります。それができないなら、最後の審判の際に神によって罰せられるだけです。生活費や財産の分与から、セックスの回数まで平等を求められます。逆に、一妻多夫は認めませんから、形式的には不平等な規定です。トルコのような世俗国家でも、イマームが認めた場合には、非公式に行われることがあります。

「イスラムは女性だけにヒジャーブを被らせる」

［反論］男性は膝の上から臍までを隠さなければいけません。女性は頭部（うなじや喉元を含む）を覆います。学者のあいだでは顔は出せるという意見が多いようです。目だけ出している女性もいて、それは、より慎み深いと評価されるからそうするようですが、必須というわけではありません。夫以外の異性に顔を見せないということです。女性が自発的に隠す場合と、夫や親など親族が強要する場合があります。服装規定は男女ともにありますが、「隠せ」と言われている部位が男女で異なります。ちなみに、具体的にどこを隠すかについて、コーランには明示規定がありません。要するに性的な部位（陰部）を隠せということです。

コーランに記されていることは後世の人間には変えられない

私はムスリムではないので、イスラム護教論的な反論はしません。でも、少し別の角度から、これらの言い分を「どうとらえるか」について、私の考えをお話ししましょう。

第一に、イスラムでは、コーランかハディースでルールが決められていることについては、時代が変わっても変更することができません。理由は単純なことで、コーランに記されていることは、アッラーの言葉そのもの、ハディースに書かれているのは、神の使徒ムハンマドの言葉や行動だからです。

イスラムとは、「アッラーに全面的に従うこと」を意味していますから、コーランに記されている命令を後の世の人間が変えることは不可能なのです。アッラーの言葉は、使徒ムハンマドを介して人類に伝えられたので、彼の言葉や行動も「無謬」です。したがって、これを後の世になって変更することもできません。

逆に、ルールが決められていなければ何をしてもいいのです。禁止のルールが決まっていることのうち、神との契約の一線を越えてしまうと、身体刑の対象になります。しかし、現世で罰が科されるかどうかは、住んでいる国がイスラム通りに統治されているかによります。

イスラムで「やれ」とされていても、あるいは「やるな」とされていても、守らないムスリムはいくらでもいます。イスラムでは、地球滅亡後の「最後の審判」で、すべての死者は神の前に引き出され、生前の悪行と善行を天秤にかけられます。悪行が重ければ火獄（地獄）行き、善行が重ければ楽園（天国）行きになります。つまり、善行と悪行は、来世を決める大事な要素なのです。

ムスリムが悪いことをするときは、頭のどこかで来世のことを考えながらしているように見えます。悪いことをしたら、埋め合わせのためにせっせと善いこともします。ですから、ムスリムの行動を見て、非ムスリムの側がいちいち善し悪しを評価することには、あまり意味がないのです。むしろ、評価などしない方が良いと思います。

ムスリムは、日常的に「インシャアッラー」と言います。「アッラーにおまかせ」の意味です。正確には「アッラーが望みたもうならば」ですが、私には、「アッラーに丸投げ」しているように思えます。アッラーにすべて従えと言うなら、物事の結果もアッラーが責任を取ってくれないと、論理的に成り立ちません。

そして、イスラムというのは、「あれをしろ」「これをするな」と言われても、実際に「口に出すか」「行動で表すか」しないかぎり、人の内面には踏み込まない宗教であることも覚えておいてほしいと思います。

コーランは同性愛をどう扱っているのか

2022年、サッカーのワールドカップ、カタール大会では、LGBTQの人たちの権利をカタールが侵害しているとして、欧米諸国から大きな非難が沸き起こりました。建設業に従事する外国人労働者の環境が悪いことも批判を浴びていました。

実態から言えば、外国人労働者の処遇については、環境が劣悪という批判は当たっています。スタジアム建設の途中で多くの人が亡くなったとも報じられましたが、時期がちょうど新型コロナの感染拡大と重なっていたので、その分、犠牲者も増えたはずです。カタールに限らず、サウジアラビアでもクウェートでもUAEでも建設ラッシュが続いていますが、建設労働者に自国民は皆無と言っていいでしょう。

ＬＧＢＴＱの人たちについての批判の多くは、カタールが同性愛を禁じている、あるいは同性愛を違法としているというものでした。しかし、この批判には、「言いがかり」の面がありました。欧米のメディアはこぞって批判を展開しましたが、カタールの刑法を読んだ人はほとんどいなかったのではないかと思います。

コーランのなかで同性愛がどう扱われているのかをまず見ておきましょう。

また、ルートを（遣わした）。彼が彼の民に言った時のことを。「おまえたちは諸世界の誰もかつて行ったことのない醜行を犯すのか」。

「まことにおまえたちは女を差し置いて欲望から男の許に赴く。いや、おまえたちは度を越した民である」。

（作品社版『日亜対訳クルアーン』７章80～81節）

コーランに出てくる同性愛の話は、旧約聖書の創世記に登場するソドムとゴモラの話を基にしています。ルートは預言者で、ロトとも書かれます。この話が、イスラムでの同性愛禁止の根拠です。

「欲望から男の許に赴く」と言っていることから明らかなように、禁止の対象は男性間のセックスのことで、それ以外の面での同性間の愛には触れていません。女性同士の同性愛についてはコーランに言及がありません。

問題は、男女間の婚姻にならないと親族から激しい敵意を向けられ、ムスリムの社会から疎外されることです。イスラム学者はレズビアンを罪だと主張しますが、私にはその根拠が明らかとは思えません。

カタールが非難された件の法的根拠はカタール刑法の296条です。そこでは、不道徳な性行為、姦通や売春に人を仕向ける行為などを禁じています。そのなかに、男性に対してソドミー（肛門性交）を「誘う」、あるいは「仕向けるような勧誘行為」を禁じるという項目があります。

行為を違法にするというよりも、イスラムで禁じられた行為に「誘う」のを禁じている点に注意が必要です。行為に誘う、あるいは売春の強要もそうですが、それが公共の場で（他のムスリムから見えてしまうようなかたちで）行われることを禁じているのです。合意のもとに密室で行われる行為について、カタールの刑法は言及していません。

そして、この刑法の規定はムスリムにしか適用できません。非ムスリムについては禁止規定がありませんが、公共の場での勧誘行為は禁じられます。ムスリムから見える範囲では、西欧世界では許されていてもイスラムの道徳や法に反する行為はやめてほしいというのです。

男性同士、あるいは女性同士でホテルに宿泊することは問題にされません。わざわざ「同性のカップル」だと名乗らないかぎり、関係を問われることはありません。したがって、外国から来たサポーターが、公衆の面前で性的な行為をしないかぎり（そんなことはイスラム圏以外でも禁じられます）、問題にはならなかったのです。

イスラム圏のＬＧＢＴＱの人たちが大きな困難のなかにあることに連帯を示したのなら、批判は理解できます。それは事実です。しかし、欧米諸国の批判の意図がそこにあったとは思えません。もし、そのことを問題にするのであれば、カタールに限らず、サウジアラビアもＵＡＥもイランもみな同じですから、そもそもイスラム圏のカタールでのワールドカップをボイコットすべきでした。

「ポリ・コレ」が通じないのは「遅れている」からではない

性の多様性について、欧米の、あるいは私たちの、ポリ・コレ（ポリティカル・コレクトネス）はムスリムには通じません。通じないものを、無理に通じるようにさせることもできません。彼らは「遅れている」から理解できないのではなく、「神の道に従っている」から理解しないのです。

カタールの社会は、保守的なイスラム社会ですが、外国人に対して服装などを厳しく規制しません。カタール政府は、誰であれワールドカップに歓迎すると繰り返し表明していました。

訪問する外国人が、節度をもって行動するかぎり、何の問題も生じなかったはずです。

この問題について、ＦＩＦＡのインファンティーノ会長は、西欧がイスラム世界に道徳を説くなら、これまでに西欧が彼らにしたことを反省してからにしろ、と発言しました。これは正論であったと思います。

繰り返しになりますが、欧米諸国自身、同性愛を犯罪としたり、病気扱いしたりした過去があります。それを後に改めたのはよいのですが、自分たちは進歩したのに、イスラム世界はなぜ進歩しないのだという高圧的な姿勢で迫るのは、西欧文明に特有の悪癖です。

それに、カトリック教会における子どもに対する性的暴行は、いまや大問題になっています。妻帯せず、性欲を抑えて神に仕えているはずの聖職者たちの堕落は、教皇庁を揺るがす問題です。この問題はイスラム圏でも報道されていますから、ムスリムからすれば、まず自分たちの問題に向き合えと言いたいところでしょう。

第9章 分断を超えて
ムスリムと付きあう

パラダイムが根底から違うことを理解する

パレスチナでも、イラクでも、アフガニスタンでも、戦争でおびただしい数のムスリム（イスラム教徒）の命が奪われてきました。その多くに、欧米諸国がかかわっています。戦争で人命を奪ってきた西欧諸国が、ＬＧＢＴＱの人たちの人権を守れと説教がましいことを言える立場でしょうか。命を奪われたら、人権も何もありません。

アフガニスタンでタリバンが復活したときにも、同じ問題が起きました。欧米諸国は一斉にタリバンによる女性への人権抑圧を非難しました。今でも、非難し続けています。しかし、アフガニスタンへの軍事介入による誤爆や夜襲作戦で、どれだけ住民の命を奪い、人権を蹂躙《じゅうりん》したことか。殺しておいて、人権を説くというのは決定的な矛盾です。

私は、タリバンによる女性に対する抑圧を肯定するつもりなど微塵もありません。ＬＧＢＴＱも含めて性的指向に社会や国家が介入することにも反対です。

ただ、イスラム社会のパラダイムは、私たちのパラダイムとは根底から違うということを理解したうえで批判を展開しないと、暖簾《のれん》に腕押しにしかならないのです。ここで言うパラダイムというのは、考え方の根底にある原理とその上に築かれるロジックの総体です。根本が違うのに、その上に築かれる人間の行動だけを変えろと言っても、変わることはありません。

他人の内面を詮索しないのがイスラム的に正しい態度

それでも、イスラムの教えから遠のけば変えることは可能ですから、世俗化したムスリムたちは、ＬＧＢＴＱの人たちの権利擁護を理解しています。ただし、何をどこまで理解するかはグラデーション状になります。同性愛の人について、そういう人もいるだろう、というところで止まる人もいれば、嫌悪感をもつ人もおり、敵意を向ける人もいます。

それともう一つ、私たちが気づいていないことがあります。ムスリムは、本来、信仰に関して、他人の内面に関心をもっていないし、もつべきだと思っていないということです。

イスラムとは、個人と神との契約ですから、他人が神との契約関係のなかで、具体的に何をしたり、何をしなかったりするのかには関心がありません。敬虔なムスリムになればなるほどそうなります。他人に干渉することは、他人の信仰のありようをジャッジすることになるからです。イスラムの学識を備えた先生だけが、ある行為が許されたものか、禁じられたものかの判断を信徒に下すことができます。

あるムスリムの友人が言っていました。「同性愛の人たちが存在することは知っているし、自分は彼らを攻撃しようとはまったく思わない。同性間の性行為に内心で嫌悪感は抱いていても、それを口にすることはない、そういう人がいるわけだから」と言うのです。ムスリムのポリティカル・コレクトネスの感覚をよく表しています。

もちろん、他人の内面を詮索するムスリムもいます。露骨に同性愛者を攻撃する人もいます。でも、こういう詮索は、むしろイスラムに反していると言えます。誰も、神に代わって他人を裁くことなどできないからです。内心で思うことは、何であれ自由です。しかし、口に出すこと、行為に表すことについては、イスラムの教えに従わなければなりません。外形的な行為と内心とのあいだの断絶が大きいことも、イスラムの特徴の一つだと思います。

フランス2というフランスのテレビ局が、挑発的なインタビューをして、放送していました。ワールドカップを前に、ドーハのホテル7軒に電話をして、同性愛者のカップルだと告げたうえで、ダブルベッドで予約したいと言ったのだそうです。5軒はOK、1軒からはシングルで2部屋とってくれないかと言われ、もう1軒からは、他をあたってくれと言われたそうです。

そのリポートを聞いて、いかにもフランスらしいなと思いました。もちろん、何を尋ねてもよいわけですし、それを取材のネタにしてもかまいません。ただし、これは「悪意の挑発」です。

わざわざ「同性愛のカップル」であると、予約するときに言う必要があるでしょうか。ダブルベッドを指定して相手の反応を探っていることもそうです。取材したフランスのテレビ局は、ネガティブな反応が返ってくることを期待していたのでしょうが、カタールのホテルは、期待に反して、多くが挑発に乗りませんでした。挑発に乗らなかったのは、ある意味、イスラム的に正しい態度でした。客の内面を詮索しなかったのですから。

ここでカタール側が挑発に乗って予約を拒否すれば、フランスのメディアはここぞとばかりに叩いたはずです。それでいて、ワールドカップが終わってしまえば、誰もカタールのことなど気に留めなくなるのです。

ムスリムが不倫をしたら必ず死刑が科されるのか

イスラムで「するな」とされていることには、いろいろあります。

先に挙げた飲酒や姦通は、アッラーとの契約違反のなかでも最も重いもので、身体に罰が科されます。飲酒の場合は、鞭打ち、姦通の場合は、基本的に死刑です。それも石をぶつけて殺すというのですから、西欧から見れば、実におぞましい刑ということになります。未婚者同士のセックスも、婚姻関係にないので姦通扱いとなり、鞭打ちと追放が決まりです。

こういう刑罰を「ハッド」刑と言います。ハッドというのは「一線」のことです。つまり、神との約束（契約）の一線を越えたことに対する罰です。

ムスリムがみなそういう罪を犯さないのかと言えば、そんなことはありえません。酒を飲むムスリムも、不倫するムスリムも、当然、いくらでもいます。ただし、西欧社会や日本よりは少ないでしょう。バレるかバレないかよりも「醜悪な罪」だという意識が働くからです。

　バレたら、実際にこういう刑罰が科されると思っている人は欧米にも日本にもかなりいると思うのですが、実は、そう簡単にはいきません。先にも述べましたが、これらを科すには、当然ながらその国が「イスラム国家」であることが必要です。イスラム国家では、国の法の体系がシャリーア（イスラム法）そのものであり、イスラムに従って統治されていなければなりません。

　こういう国があるなら、人が定めた憲法をもつことは許されません。神の法であるイスラムの法体系より上位に来る法などあってはならないからです。しかし、法の源はシャリーアだと言いながら、今の時代に合わないところもあるから、そこは少し変えようというムスリムの国はたくさんあります。国民がそれを支持するなら、それはそれでよいのですが、その場合は、イスラム国家にはなりません。イスラム国家ではないところで、ある種の罪にだけ、ハッド刑を科すのは矛盾しています。

　トルコやチュニジアのような国は、そもそも国家の法体系がイスラム法ではありません。西欧の法を基につくっていますので、姦通や同性愛で死刑が科されることはありません。

　逆に、サウジアラビアやイラン、そしてタリバン政権のアフガニスタンのように、「うちはイスラムの法で統治する」と宣言するなら、これらの罪は、コーランと預言者のスンナ（ムハンマドの言行を慣行としたもの）に従って罰することになります。

非ムスリムの飲酒は禁止できるか

イスラムの法を適用するとき、実際には、結構、融通無碍《ゆうずうむげ》というか、いい加減というか、なぜそうなるのかはっきりわからないことがあります。

たとえば飲酒ですが、あれはムスリムに飲むなと言っているのであって、非ムスリムにまで飲むなというわけではありません。禁じている理由は、はっきりしています。酔っぱらって理性を失い、悪いことをするからです。

これも、2022年のサッカー・ワールドカップで問題になりました。直前になって、カタールがスタジアムやその周辺でのビールの販売を禁止したからです。FIFAは大手のビール会社とスポンサー契約を結んでいましたから問題になりました。サッカーファンも、スタジアムで禁酒というのは、あまり例のないことで不満だったでしょう。

ところが、カタールでは、ライセンスをもっている高級ホテルなどのレストランやバーでは酒を飲むことができます。これなど典型的な問題ですが、イスラム社会であるカタールで酒を飲むなと言うなら、国内全体で禁止しないとおかしいはずです。

非ムスリムは飲んでもいいと言うなら、スタジアムでも非ムスリムには飲ませればよいのですが、いちいち、そんなチェックはできない。そこで、スタジアムでは禁止、飲みたければ、ホテルに戻ってから飲めばいいということにしたようです。

UAEのドバイやアブダビも同様です。いまや世界のセレブや大金持ちのリゾートと化した感のあるドバイですが、ここでも、閉鎖空間のホテルなどでは酒を飲めます。しかし、一歩外に出れば、ドバイの社会そのものは非常に保守的なイスラム社会です。酔っぱらって外を歩くようなことをすれば罰せられる可能性があります。

コーランのなかの酒の扱いには、ゆらぎがあります。楽園（天国）の描写には、その流れを口にしても頭が痛くならない「酒の川」などというものが出てきます。清水の川、乳の川、蜜の川と並んで、「酒の川」が出てくるのです。

飲みたいという気持ちはムスリムにもあるのでしょう。他の箇所には、酒を飲んだら礼拝に近づくなという言葉もあります。酔っぱらうとコーランの章句を間違えて唱えるからなのですが、どうも「飲む」ことを前提に神がムハンマドに啓示を下したように読めます。さらには、飲酒は大罪だとして禁止する章句もあります。そのため、鞭打ちという「ハッド」の刑罰が科されることになったのですが、それだけ、飲むなと言っても飲む信徒が後を絶たなかったということなのでしょう。

ただし、現実に照らして言えば、やはり大半のムスリムは酒を飲みません。非ムスリムの側は「誰々はムスリムだけど酒を飲んでいた」というような話題を避けるべきです。ムスリムだって、悪いことを承知で飲んでいるのですから「そういうときもあるだろう」ということにして触れない方がよいのです。先に書いたように、他人の内面を詮索すべきではありません。欧米の人間は、とかく酒を飲むムスリムを見て、自分たちの側に近づいたと思っているふしがありますが、余計なお世話です。

ハラールについて知っておくべきこと

食べていいか、食べてはいけないか、という話になると、必ず出てくるのが「ハラール」という用語です。これは（神によって）「許されている」という意味です。反対に禁じられているものは「ハラーム」と言います。ともに食べ物だけを指すわけではなく、行為にも使われます。利子をとる取引は「ハラーム」、公正な取引は「ハラール」というようにです。

ハラールは、日本では、もっぱらムスリムが食べられるものを指す言葉として使われてきました。近年はインバウンドの観光客やイスラム圏からの労働者に対応するために関心を呼んでいます。食べられないのは、豚肉（由来の製品も）、酒を含むもの（アルコールが飛んでいれば基本的に問題なし）、そして血です。

豚は禁じられていますが、知らずに食べてしまった場合、ほかに食べるものがなかった場合には仕方ないとコーランに記されています。

日本人は、よく「どうして豚を食べないの？」とムスリムに尋ねますが、あれはやめた方がよいと思います。ムスリムには豚が食べ物に見えていないからです。この質問は、日本人に「どうして猫を食べないの？」と聞くようなものです。日本人は猫を食べ物だと思わないでしょうから、聞かれたら、気持ちの悪いものです。

もう一つの血ですが、食べるときに血が残っていてはいけません。羊や牛を食肉に加工する際には、神の名を唱えて頸動脈を切って失血死させる必要があります。血が滴《したた》るようなステーキも、多くのムスリムにとっては気持ちが悪くて食べられないものです。

しかし、食べている肉が、イスラム的に正しく処理されたかどうかは、食べる本人にはわかりません。イスラム圏ならば、イスラムに従って処理されていますが、日本のように非イスラム圏の場合は異なります。そこで、コーランにも書かれている「他の一神教徒に許されているものはムスリムにも許されている」という教えを援用して、アメリカやオーストラリアのようなキリスト教国からの輸入肉なら食べる人もいます。逆に国産だと、きちんとイスラムの教えに従って処理したかどうかが問われます。

このハラールをビジネスにするには注意が必要です。詳しく見ていくと、食肉加工の方法から、調理の方法や器具にいたるまで、細かく規定されます。そういう条件をクリアすると、ハラール認証団体が証書を出してくれるのですが、これがなかなか難しい問題になります。
先に書いたように、ハラールとは「神によって許された」というのがもとの意味ですから、神ではない人間にハラールかどうか判断できるのか、という問題です。もちろん、イスラムの先生（法学者）たちが議論をして、これならよかろうという基準をつくるので、認証がいい加減だというのではありません。

しかし、特定の国の団体が認証するとなると、必ず争いが起きます。ある国が、うちの認証こそ正統だと主張すると、別の国が、いやいやうちの認証の方がもっと正しいと言い出します。これでは収拾がつかなくなります。

それに、認証のためにお金をとっていることも問題になる可能性があります。まるで神の教え（イスラム）で商売をしているように見えるからです。神の啓示を非ムスリムに教えることでお金をとることは、本来、禁じられています。信仰で商売してはいけないのです。そこで、信徒のなかには、ハラール認証を詐欺まがいの行為として批判する人もいます。

信者でない日本人には、難しいし面倒です。もし、ムスリムのお客さんをもてなすなら、食材に何を使ったか、どうやってつくったかをメニューに書き添えればいいでしょう。具体的には、豚と酒と血を使っているかどうかをメニューに表記するということです。

日本には、血を使う料理はほとんどありませんが、豚とその加工品のハムやソーセージ、べーコン、そしてラードやゼラチンのように豚由来の成分を含むかどうか、酒については、アルコール分を含んでいるか、それとも調理の途中で酒やみりんを加えたが加熱して飛ばしたかどうか、そういうことです。細かいことを言えば、醬油にも微量のアルコールが入っていますが、それならそうと書けばよいのです。「ただし小さい子が食事の際に醬油を使っても酔うことはありません」と書いておけばよいでしょう。

後はムスリムの判断にまかせればいいのです。それだけでは不十分だとクレームをつける客は、まずいません。こちらはムスリムではないのですから、正直が第一です。

日本のレストラン経営者は、宗教の違いによるクレーム対応を心配しますが、実は「ハラール」と書かないかぎり、心配はいりません。逆に「ハラール」と表示してしまうと、突っ込まれたときに困ることになります。ハラール認証を取って、店のウィンドウに「ハラール」と書いたステッカーを貼るのはいいのですが、店内で酒を売ったりするとクレームが来ます。店の外に堂々と「ハラール」と表示すると、客はお店が丸ごとハラールだと思います。なのに、なかでは日本人が酒を飲んでいるというのでは、これは詐欺だと文句を言いたくなるでしょう。「過ぎたるは猶及ばざるがごとし」です。

ムスリムと付きあうのは難しくない

ムスリムではない人間としてムスリムと付きあうのは難しくありません。彼らに対して、「悪意の挑発」をしなければ何も問題は起きません。イスラム社会での女性への抑圧や、LGBTQの人たちへの抑圧を批判して何が悪いという方もいるでしょう。悪意の挑発でさえなければ、どんどん議論して批判していいと思います。ただし、それをするなら、強い偏見と嫌悪をもってきた欧米諸国の批判を受け売りしないことです。イスラムの中身を知らないで批判するなら「悪意の挑発」になってしまいます。

本書では、欧米諸国のイスラム観やムスリムへの態度を批判しましたが、それは、私がイスラムを擁護しているからでも、西欧文明を嫌っているからでもありません。書いてきたのは、実際に欧米諸国がやってしまったことです。何をしてきたからムスリムとの共存が難しくなったのかを説明するために書いたのです。悪意の挑発を続けると、暴力を誘発することになります。日本人が欧米のイスラモフォビア（イスラム嫌悪）を踏襲する必要はありません。

もちろん、ムスリムにもいろいろな人がいます。善人が多いとは言いません。だからこそ、これはイスラムの教えと違うんじゃないか、という場面に遭遇したら、どうしてそういうことになるのかを尋ねて、納得のいく答えが得られなければ、そういう人からは遠ざかればいいのです。

ムスリムのなかには、イスラムとは関係のない価値観をあたかもイスラムの教えであるかのように言いふらす人もいます。疑問に思ったら「その話はコーランのどこに出てくるの？」と聞いてみましょう。イスラムに入り込んだ混ざりものなのかどうかは、典拠を聞くとわかります。典拠を言えないような話なら、真に受ける必要はありません。

イスラムのすばらしさを語って聞かせる人もいますが、コーランには「無理強いをしてはならない」というアッラーの言葉が何度も出てきます。そういうときは「これ以上、その話を聞くのは無理強いされているようで嫌だ」と言ってしまいましょう。

何度も書いてきたように、ムスリムとは、個人として、アッラーと契約を結んで、アッラーに従うと決めた人のことです。ムスリムではない人に宣教するのも大切なことですが、嫌なら嫌とはっきり言ってかまいません。日本人は、親しくなるとかえって、はっきりものを言えなくなりますが、人として付きあうことと信仰を共有することはまったく別の話です。

「神が認知症にお連れになったのです」

長いことムスリムと付きあってきての私の印象は、相手（私）がある程度イスラムのことを知っていることがわかると、向こうもほっとするのか、いたって素直にいろいろな話ができるというものです。昨今の政治状況から、日本にいるムスリムは、話題がイスラムのことに及ぶと、緊張する人も少なくありません。相手の私たちが偏見を抱いているのではないかと心配するからです。

信仰や宗教に踏み込む必要がないなら、その話題には深入りしなくていいのです。大切なのは「内面の詮索をしない」ことです。日本人のものさしで測って、自分たちに近い人か、遠い人かを評価しようとすると、彼らにとっては「内面の詮索」になってしまいます。

むしろ私たちが何かに悩んでいるとき、「こういうときにムスリムはどう考えるの？」と聞いてみると、私たちが気づかない答えをくれることがあります。とくに、人の生き死ににに関することについて、ムスリムは、日本人が考えても見出せない答えをもっていることが多いように思います。

私自身も経験しました。私の父は晩年、認知症を患っていました。今の医学では、原因を詮索しても治療を模索しても、あまり意味がないことは知っています。しかし、日々、記憶が失われていくことなど、家族はどう考えたらよいのか悩みます。そんなとき、ムスリムの友人の一言で心のなかに重く沈んでいたものが溶けるのを感じました。

「神が認知症にお連れになったのです」

イスラムは、人の生死は神の手のなかにあると考えます。病を癒すのは神、医師はその手助けをするだけ——私は医学の進歩が人類社会に大きく貢献してきたことを疑ってはいません。しかし、病を癒すのは神の仕事、それを手助けするのが医師の仕事と考え、人間の最期を神にゆだねることによって、残る側の人間は、心の平静を保つことができます。その大切なことを、私はムスリムの友人から学びました。

おわりに
──分断の時代にイスラムに学ぶ

この3年のあいだ、新型コロナのパンデミック、ロシアのウクライナ侵攻という世界規模での災厄のなかで、ムスリムはどう動いてきたのか、どうやってこれらの災厄をかわしていったのかを、関心をもって見ていました。そのなかで、イスラムの教えのなかに、私たちにも、西欧世界にもない、危機に対処する力が備わっていることを改めて知りました。

この間、分断を深めたのは、西欧ほか非イスラム世界の側でした。国家による侵略戦争や威嚇、また人種、民族、そして宗教による差別と分断が深刻なものとなっていきました。これらは一言で言えばアイデンティティをめぐる対立です。

私自身は、本書でも書きましたが、アイデンティティを問われるのも、問うのも好きではありません。アイデンティティがしっかりしないと生きていけないとよく言われますが、それは自分の爪を研いでいるようなもので、そのうち、他者を傷つけるために使わないと気が済まなくなることに、もっと注意を払うべきだと感じています。

ムスリムにもアイデンティティを問題にする人はいます。しかし、ムスリムと長いあいだ付きあってきて、大方の信徒にとって彼らの信仰は自分だけのためのものであって、他人がどうしようと知ったことではないということに気づきました。

欧米諸国では、１９８０年代ぐらいからイスラムが復興して、西欧に盾突くようになったと言われてきました。西欧はイスラムの復興がよほど気に入らなかったのでしょう。それは、自分の左手が何をしてきたかを右手が知らないというようなものです。ヨーロッパの列強諸国が、植民地統治の時代に力でイスラム世界を支配したことへの反省がありません。自分が殴ったことを忘れてしまっても、殴られた相手は忘れません。

この40年、両者の溝は深まり、暴力の応酬が続きました。二つの文明世界の関係は、もはや修復しがたいほどに悪くなっています。世界を見渡せば、今は、コロナ禍とウクライナ戦争によって、いたるところで分断が深まっています。そのせいで、西欧世界の関心は、少しイスラムから離れているようですが、いずれまたイスラムとの関係は溝を深めていくことになるはずです。

西欧文明が悪いというのではありません。本書では、西欧は思い込みによって、イスラムとムスリムの姿を見誤ってきたことを書きましたが、そのことと西欧の文明としての価値とは無関係です。

西欧にせよ、イスラムにせよ、文明というものは巨大な力を内包しています。規範性の力です。ただ、両者のあいだには、その力の表し方に決定的な違いがあります。西欧は、自分たちの規範が生み出してきた諸価値観は絶対的に優れているのだから、それに従うべきだと考えます。そして、その考えを態度に表します。

イスラムも、自分たちの規範が至高のものであり、そこから導かれる諸価値観が優れていると信じていますが、異教徒がそれについてくるかこないかには関心がありません。

日本人は、明治以来、西欧文明の影響を受けてきましたが、イスラム文明については、いまだにほとんど何も知りません。

単純に考えても、何か良いところがなかったら、16億、17億、そして最新の推計では20億人とも言われるまで信徒が増えたりしません。イスラムと言うと、とくに女性の人権や自由について否定的に言われますが、あたりまえのこととして、イスラム世界の半分は女性です。彼女たちが、不当な扱いを受けてきたのであれば、ここまでムスリムが増えることもありません。

そして、世界の分断が進むなか、イスラム世界では対立から和解への動きが活発になってきました。それは実利の追求によるものなのか。それともイスラムの信仰の内に備わるメカニズムによるものなのか。

ならば一つ、非ムスリムの目から見て、どこに分断を乗り越える知恵があるのかを改めて考えてみようということで書いたのが本書です。

本書を構想してから形になるまで、幻冬舎の二人の編集者、小木田順子さんと岩堀悠さんに大変お世話になりました。末尾ながら記して感謝の意を表します。

２０２３年６月

内藤正典

著者略歴

内藤正典《ないとうまさのり》

一九五六年東京都生まれ。
同志社大学大学院グローバル・スタディーズ研究科教授。一橋大学名誉教授。
東京大学教養学部教養学科科学史・科学哲学分科卒業。
同大学院理学系研究科地理学専門課程（博士課程）中退。博士（社会学）。
専門は多文化共生論、現代イスラム地域研究。
『トルコから世界を見る』（ちくまQブックス）、
『なぜ、イスラームと衝突し続けるのか』（明石書店）、
『イスラームからヨーロッパをみる』（岩波新書）、
『となりのイスラム』（ミシマ社）ほか著書多数。

幻冬舎新書 698

分断を乗り越えるためのイスラム入門

二〇二三年七月二十五日　第一刷発行

著者　内藤正典

発行人　見城　徹

編集人　小木田順子

発行所　株式会社　幻冬舎

〒一五一-〇〇五一　東京都渋谷区千駄ヶ谷四-九-七

電話　〇三-五四一一-六二一一(編集)

〇三-五四一一-六二二二(営業)

公式ＨＰ　https://www.gentosha.co.jp/

ブックデザイン　鈴木成一デザイン室

印刷・製本所　中央精版印刷株式会社

検印廃止

Printed in Japan　ISBN978-4-344-98700-5 C0295

な-28-1

*この本に関するご意見・ご感想は、左記アンケートフォームからお寄せください。

https://www.gentosha.co.jp/e/